HET ONWILLIGE HART

Karin Peters

Het onwillige hart

'Westfriesland' - Helmond/Hoorn

Eerste druk 1992

CIP-GEGEVENS KONINKLIJKE BIBLIOTHEEK, DEN HAAG

Peters, Karin

Het onwillige hart / Karin Peters. - Helmond [etc.] :
Westfriesland. - (Familie- en streekromans)
ISBN 90-205-2167-5 geb.
NUGI 342
Trefw.: romans ; oorspronkelijk.

ISBN 90.205.2167.5
NUGI 342

Omslagillustratie: Reint de Jonge

HOOFDSTUK 1

Het waaide de hele morgen al hard en het leek wel steeds erger te worden.
Bezorgd keek Hetty van Schagen af en toe naar buiten. De boom in de achtertuin zwiepte wild heen en weer en aan de overkant klotste het grachtwater tegen de kademuren. Het was niet haar gewoonte zich druk te maken om de weersomstandigheden, maar juist vandaag had ze een afspraak met de tandarts. Het was toch te gek om af te bellen vanwege het weer. Het vervelende was dat haar tandarts buiten de stad woonde, in een buurt waar veel bomen stonden. Ze was eigenlijk een beetje bezorgd dat er takken op haar auto terecht zouden komen als ze de Mini daar parkeerde. Ze had het wagentje nog niet zo lang en was er bijzonder trots op. Maar kon ze uit angst voor schade aan haar auto afbellen? Zelf vond ze het altijd bijzonder vervelend als er afspraken werden afgezegd. En zij was geen tandarts met een drukke praktijk. Trouwens, het was eigenlijk al te laat om af te bellen.
Ze wilde juist de deur uitgaan toen Nicole, haar elfjarige dochter, thuiskwam. ,,Ga je uit? Het waait hard, je kunt niet fietsen." ,,Ik ga met de auto."
,,Mam, vind je het goed dat Cissy vandaag blijft slapen?"
Hetty fronste het voorhoofd. ,,Dat komt me niet zo goed uit. Vanavond wil ik rustig kunnen tekenen."
,,En als we boven blijven en geen lawaai maken?"
,,Nicky, wees redelijk. Een andere keer. Je weet als er gasten zijn, wil ik iets bijzonders aan het eten doen. Daarvoor heb ik vanavond geen tijd."
,,Cissy is geen gast, u hoeft niets bijzonders te doen. Cissy's moeder bakt gewoon wat frites, of maakt een paar sandwiches."
,,Ik ben Cissy's moeder niet. Ik wil dat jullie gezond eten."
,,Gezond, altijd gezond!" Nicole stampvoette. Op de strenge blik van haar moeder hield ze zich in.
,,Ik hoop om vier uur thuis te zijn. Tot straks, Nicole," zei Het-

ty vriendelijk als altijd en verliet de kamer. Haar dochter antwoordde niet en stak haar tong uit tegen de dichte deur. Ze smeet in een nijdig gebaar de felgekleurde regenjas van haar moeder tegen de grond. Waarom moest mama altijd zo overdreven doen? Alsof ieder vriendinnetje een zeer hoge gast was. De meeste kinderen vonden dit niet leuk. Aan de andere kant: het was altijd prima geregeld als er iemand kwam eten of slapen. Maar soms hoefde het gewoon niet zo precies en dat begreep haar moeder niet.
Nicole raapte de regenjas weer op en hing hem keurig aan het hangertje. Ze zou wat te horen krijgen als ze hem liet liggen, want mamma zou onmiddellijk begrijpen dat zij de jas daar moedwillig had neergegooid. Het was best lastig een moeder te hebben die alles door had en soms bijna helderziende leek.

Hetty haastte zich naar de parkeerplaats. Ze had moeite het portier te openen doordat de wind haar bijna omver blies. Eenmaal binnen voelde ze het wagentje trillen. Ze startte en reed voorzichtig de parkeerplaats af. In de stad viel het nog mee, hoewel ze bij zijstraten haar stuur stevig moest vasthouden. Buiten het centrum had ze al haar aandacht bij het rijden nodig. Toch dwaalden haar gedachten naar Nicole. Haar dochter was wat opstandig de laatste tijd. Misschien kon ze haar straks toch haar zin geven. Zij stond er immers om bekend dat ze heel goed kon organiseren. Als ze thuiskwam, zou ze Nicole zeggen dat ze haar vriendin mocht bellen. Cissy was een aardig meisje...
Lieve help, een enorme rukwind deed het wagentje bijna op de andere weghelft belanden. Bevend van schrik klemde ze het stuur nog steviger vast, een beetje voorovergebogen door het raam turend. Die boom daar voor haar leek wel opzij te hellen, stel dat hij viel...
Een schrikreactie maakte dat ze bijna weer op de andere weghelft terechtkwam, waar de lichten van een enorme vrachtwagen op haar af leken te stormen. Wie passeert in dergelijk noodweer, was haar laatste gedachte. Toen kwam de enorme klap, gevolgd door meer. Er viel een moment van onwezenlijke stilte.
Het leek of zelfs de storm even de adem inhield voor hij weer kwam aanloeien en de mensen met dit hernieuwde gebulder, beducht voor rondvliegende takken en erger, in elkaar deed

duiken. Er was een file ontstaan; de meeste bestuurders bleven met bleke, strakke gezichten in hun wagen zitten.
Na vijf minuten hoorden ze de sirene van de ambulance boven de storm uit.

Thomas van Schagen stond in gedachten voor de klas, blij dat de les over een halfuur afgelopen zou zijn. De kinderen reageerden zeker op de harde wind; ze waren vanmiddag niet in de hand te houden. Nu had hij toch vaak het gevoel dat hij geen overwicht op de klas had. Soms hielden de kinderen hem voor de gek, en rumoerig was het eigenlijk altijd. Hetty beweerde altijd dat zij dat wel anders zou aanpakken en waarschijnlijk had ze gelijk. Er was nu eenmaal weinig wat Hetty niet aankon. Vroeger werd hij nog wel eens driftig voor de klas en soms had dat geholpen. Hetty zei altijd dat drift een teken was van onmacht en aangezien dat juist was, probeerde hij zich te beheersen, zowel thuis als op school. Dat was een stuk volwassener. Want wat was hij in veel opzichten onvolwassen geweest toen hij Hetty ontmoette. Hij moest toegeven, zij had hem enorm geholpen verkeerde karaktereigenschappen te onderdrukken en slechte gewoonten te beheersen. Het gebeurde nogal eens dat hij voor de klas aan Hetty stond te denken, zich afvroeg hoe zij bepaalde dingen zou aanpakken. Het resultaat was dat hij soms een beetje afwezig leek, waar de klas dan weer gebruik van maakte.
Tien minuten voor de bel ging, verscheen de directeur die hem met een strak gezicht vroeg even mee te gaan. Met kalme stem gebood hij de klas rustig te vertrekken, daar meneer Van Schagen vandaag niet meer terugkwam. Thomas pakte hoogst verbaasd zijn spullen bijeen. De gekste dingen speelden door zijn hoofd, tot ontslag toe.
Toen hij in de directeurskamer werd gelaten, waar een politieagent aanwezig bleek te zijn, dacht hij aan een kwajongensstreek van één van zijn kinderen.
,,U bent Thomas van Schagen? Juist. Ik moet u verzoeken mee te komen naar het ziekenhuis. Uw vrouw heeft een ongeluk gehad.''
,,Mijn vrouw? Hetty? Een ongeluk...? Dat kan niet, ze zou de hele dag thuis zijn.''
,,Komt u mee, alstublieft, meneer.''

Thomas wílde helemaal niet, maar de toon van de agent deed hem de adem in de keel stokken. De directeur stond heel stil bij zijn bureau. Thomas begon zo hevig te beven dat hij een stoel moest vastgrijpen. ,,Hetty, ze is toch niet...?"
,,Het is heel ernstig, meneer," zei de agent strak.
,,Ga nu," drong de directeur aan. Thomas ving de blik op die de twee mannen wisselden en ineens smeet hij de deur open, en rende de gang door.
,,Arme kerel, haasten heeft geen enkele zin," zei de agent nog, voor hij hem volgde.
Thomas werd naar een raamloos vertrek gebracht. De muren waren spierwit, evenals de vloer. Het was er kil als in een onderaardse grot. Daar liet men hem alleen met zijn vrouw. Hij staarde naar het wasbleke gezichtje en de blonde haren. Het was net of zijn hersens niet beseften wat zijn ogen zagen. Dit was niet mogelijk! Alles was een boze droom. Straks zou hij thuiskomen en Hetty zou in de keuken bezig zijn met koken.
Hij deed enkele stappen dichterbij, zo zacht of hij bang was haar wakker te maken. Ze leek niet gewond, alleen onder haar borst was een vreemde deuk. Een streepje opgedroogd bloed liep van haar oor naar haar nek en verdween onder het blonde haar. Dit kon zijn lieve vriendelijke Hetty niet zijn. Hij begreep het niet. Hetty was altijd zo voorzichtig. Ze maakte zich altijd kwaad op mensen die roekeloos reden.
De agent wachtte buiten het vertrek op hem. ,,Het kwam door de storm," vertelde hij ongevraagd. ,,Uit het hele land komen meldingen van ongevallen. Men vermoedt dat uw vrouw op de verkeerde weghelft terechtkwam doordat ze schrok van een boom die dreigde te vallen. Ze had geen enkele kans toen de vrachtwagen van de andere kant kwam."
,,Had die ellendeling geen remmen?" Het was of het zijn eigen stem niet was die sprak.
,,Dit wordt allemaal later uitgezocht. U kunt beter naar huis gaan, naar uw kinderen."
Kinderen...? Ja, Hetty en hij hadden twee kinderen. Zij hadden plotseling hun moeder verloren en hij moest hen daarover inlichten. Hoe zei je zoiets? Gewoon, jullie moeder is dood... Nee, zo kon het niet; hij moest voorzichtig zijn, hen voorbereiden. Maar er was immers geen enkele manier om deze klap te verzachten?

Nicole en Jasper waren samen thuis, wat niet vaak gebeurde. Nicole had zich eerst op haar kamer teruggetrokken, maar de wind loeide zo naargeestig dat ze zich daar niet prettig voelde. Toen ze uit het raam keek, zag ze op hetzelfde moment een tv-antenne afbreken en de lucht ingaan. Waar het gevaarte neerkwam, kon ze niet zien, maar ze voelde zich toch veiliger beneden.

,,Ik zou willen dat mamma thuiskwam," bromde Jasper toen een rukwind de tuindeuren deed rammelen.

Nicole zette de televisie aan.

'Vrachtwagens wordt aangeraden een parkeerplaats te zoeken. Indien u niet echt weg hoeft, blijf dan thuis. Volgens het KNMI is de storm nu op zijn hoogtepunt en het kan nog enige uren duren voor deze gaat afnemen.'

,,Mamma zal voorlopig wel niet thuiskomen," bedacht Nicole. ,,Ze blijft natuurlijk bij de tandarts wachten tot het ergste over is."

Even later hoorden ze de sleutel in het slot van de voordeur.

,,Daar is ze," zei Jasper duidelijk opgelucht. Maar het was hun vader die binnenkwam en hen vreemd aankeek... zo vreemd...

,,U bent vroeg, we dachten dat het mamma was."

,,Mamma? Je dacht dat het mamma was. O, jongen toch."

Toen de kinderen zijn gezicht zagen, wisten ze dat er iets verschrikkelijks was gebeurd. Iets wat nooit meer te herstellen was. Even later wisten ze het zeker. Hun veilige, vrolijke kinderwereld was in één klap ingestort.

De eerste dagen gingen voorbij als een afschuwelijke droom. Thomas had voortdurend het gevoel dat hij naast zichzelf stond en toekeek naar die man die uiterlijk vrij kalm leek. Natuurlijk had hij iets van de dokter gekregen voor de eerste tijd, maar werd een mens daar zo vreemd apatisch van?

Nicole had hem gesmeekt mee te mogen naar het mortuarium, maar hij had het niet toegestaan. Ze was te jong in zijn ogen. Het zien van haar moeder die voor altijd onbereikbaar was, zou haar te zeer van streek maken. Later vroeg hij zich vaak af of dit besluit verstandig was geweest.

De eerste maanden waren de ergste uit hun leven. Natuurlijk kwam er gezinsverzorging en Thomas probeerde alles zo normaal mogelijk te laten verlopen. Hij verdrong zijn eigen ver-

driet. Het was of hij het verwerken van de vreselijke schok tot later uitstelde. Alles in huis bleef zoals Hetty het had achtergelaten toen ze de voordeur voor het laatst achter zich sloot. Vooral Nicole hield angstvallig in de gaten dat er niets werd verplaatst.
Zondagsmorgens hadden ze altijd uitgebreid ontbeten en Thomas had dat willen voortzetten. In het begin waren de kinderen apatisch, schenen niet te merken als de croissants waren vergeten, of de cornflakes. Maar wat later was er altijd kritiek, vooral van zijn dochter.
,,Dit tafellaken gebruikte mamma nooit op zondag."
,,Dat maakt toch niets uit." Thomas was al vermoeid aan de dag begonnen vanwege de vele slapeloze uren. De verwijtende blik van zijn dochter deed hem echter toch een ander tafellaken pakken.
Dan kwam Jasper: ,,Zo'n vies dun ei heb ik van mamma nooit gekregen."
Nicole, van de andere kant van de tafel, deed ook een duit in het zakje: ,,Wat is dat voor jam? We lusten geen marmelade. Mamma zou nooit –"
,,Ik weet het, ik weet het. Maar mamma is er niet meer en ik kan het niet precies zoals mamma."
Waarop steevast een huilbui volgde van één of beide kinderen en de maaltijd verder in diep stilzwijgen verliep.
Soms was er een aardige gezinsverzorgster. Een die de kinderen een beetje aanvoelde, hun wat extra aandacht gaf. Maar juist als ze aan haar begonnen te wennen, verdween ze weer, om plaats te maken voor iemand anders. De kinderen werden steeds moeilijker hanteerbaar. Nicole kwam soms pas laat in de avond thuis, nadat ze bij een vriendinnetje had gegeten. Jasper zwierf vaak over straat. Toen Thomas er iets van zei, begon het kind te huilen.
,,Het huis is zo leeg als ik thuiskom. Mamma's stoel is er, en haar tekentafel, haar jas aan de kapstok, maar zijzelf is weg."
Toen Thomas voorstelde het huis te veranderen en alles wat aan hun moeder herinnerde op de zolder op te slaan, kwam Nicole heftig in opstand. Wat hem het meest verbijsterde, was haar opmerking: ,,Als mamma terugkomt, moet alles zijn zoals ze wegging."
,,Nicole," begon hij. Toen hij haar gezicht zag, had hij niet de

moed haar nog eens duidelijk te maken dat haar moeder voorgoed weg was. Ze zat waarschijnlijk in het stadium van ontkenning, van niet kunnen geloven dat het allemaal echt gebeurd was. Had hij zelf dat gevoel ook niet regelmatig? Bijvoorbeeld als hij uit school thuiskwam en meende Hetty's blonde hoofd voor het raam te zien.
Steeds opnieuw probeerde hij het voor de kinderen zo gezellig mogelijk te maken. Zoals ze ook vaak met Hetty hadden gedaan, ging hij op zaterdagmiddag met hen de stad in. Het probleem was dat ze nu niet gingen om gezellig winkels te kijken en soms iets te kopen op het gebied van lectuur, muziek of kleding. Nu was alles anders. Heel vaak moest hij nog boodschappen halen in een drukke supermarkt, waar ze lang moesten wachten. Nicole werd dan landerig en tegen de draad in en Jasper sleepte allerlei dingen aan die hij absoluut niet nodig had. Terug laten brengen leidde soms tot luide protesten en dan gaf hij maar toe. Hij kwam steeds meer tot de ontdekking dat de kinderen niet naar hem luisterden. Voor een deel kwam dat omdat hij vaak toegaf aan hun grillige wensen, met in zijn achterhoofd de gedachte dat ze toch al zoveel moesten missen. Ook kon hij zich niet kwaad maken. Het was of het hem niet echt interesseerde. Daarbij, Hetty had een vanzelfsprekend overwicht gehad; dat miste hij.
Op één van die zaterdagen was Jasper van het ene op het andere moment zoek. Ze hadden in een restaurant wat gedronken, hij was opgestaan om zijn jas te pakken en toen hij zich omdraaide, was Jasper verdwenen.
,,Hij rende ineens weg," zei Nicole tamelijk onverschillig.
Thomas liep het restaurant door, keek ook in de toiletten. ,,Welke kant ging hij uit?" vroeg hij ongeduldig aan zijn dochter.
,,Misschien wel naar buiten. Hij keek uit het raam en ineens stond hij op."
,,Een beetje meer belangstelling voor elkaars wel en wee zou me zeer welkom zijn," bromde Thomas. Hij vroeg het aan een oudere dame die dicht bij de uitgang zat.
,,Inderdaad, een jongen holde langs mij, hij stootte tegen mijn tafel, ik zei nog: 'Kind, kijk uit'."
Thomas luisterde al niet meer. Buiten keek hij links en rechts, zag dan wat verderop aan de overkant een kleine oploop. Zijn

hart bonsde heftig. Was Jasper overgestoken en aangereden? Toen het licht op groen sprong, was hij als eerste aan de overkant en haastte zich naar de plaats waar de mensen stonden, die zich al weer begonnen te verspreiden. Daar hoorde hij het hartbrekende gesnik van zijn zoon. Een nog vrij jonge vrouw zat bij hem.
,,Jasper, wat is er aan de hand?" Het kind keek hem aan, zijn gezicht zat vol vuile vegen. Er was zo'n verdriet in die blauwe ogen dat het Thomas diep schokte.
Hij trok hem in zijn armen. ,,Jochie, wat is er dan?"
De jonge vrouw was ook opgestaan. Ze was lang en blond en zag er niet onaardig uit, maar haar stem had een wat schelle klank. ,,Wel, het ging zo. Ik liep te winkelen en ineens hoorde ik hem achter mij aanrennen. Hij rukte aan mijn jas, ik draaide mij om en toen begon hij vreselijk te huilen. Ik weet niet wat er met hem is, hij heeft het over zijn moeder."
Thomas probeerde de brok in zijn keel weg te slikken. ,,Waarschijnlijk dacht hij dat u zijn moeder was. Uw houding en dan van achteren..."
,,Zeker weer een van de vele echtscheidingen. Ouders moesten eens nadenken voor ze daaraan begonnen. Kinderen zijn altijd de dupe," klonk het plotseling uit het publiek.
Thomas draaide zich snel om. Hij zag er bijna indrukwekkend uit met zijn grijze ogen haast zwart van woede. ,,U praat voor uw beurt, mevrouw. Er zijn ook andere mogelijkheden waardoor kinderen hun moeder kwijtraken." Toen keerde hij zich af en liep weg met Jasper aan de hand. Hij had geen zin op straat een discussie te beginnen over de ellende die in zijn leven was gekomen.
Nicole was inmiddels ook hun richting uit gelopen en ze dwaalden eerst wat doelloos rond tot ze in een klein park op een bank gingen zitten. Zwijgend zaten ze daar. Af en toe snikte Jasper nog na.
,,Je dacht dat je mamma zag," zei Thomas eindelijk.
,,Ineens... ze liep voorbij het raam in haar rode jas en ik dacht... Toen draaide ze zich om..."
Terwijl Thomas zijn arm om het kind heen sloeg, realiseerde hij zich dat de vrouw inderdaad dezelfde soort felgekleurde jas had gedragen als Hetty indertijd. De jas die nog steeds aan de kapstok hing.

,,Ik vond helemaal niet dat ze op mamma leek," zei Nicole een beetje onder de indruk.
,,Van achteren wel, h-helemaal," hikte Jasper.
,,Er zijn meer blonde vrouwen met een rode jas, denk ik. Maar mamma zal het nooit zijn, Jasper. We moeten dat tot ons laten doordringen, hoe moeilijk het ook is. Mamma komt niet meer terug."
Thomas vocht om zijn zelfbeheersing terug te krijgen. Hij zou hier nooit overheen komen, daarvan was hij zeker. Maar de kinderen hadden een toekomst, zij moesten verder en hij zou hen daarbij moeten helpen.

Het werd zomer en elke dag opnieuw waren er voorvallen en feiten waardoor Thomas aan zijn gemis werd herinnerd. Vakanties bijvoorbeeld. Ze waren enkele jaren naar het buitenland gegaan en hadden een appartement gehuurd. Hij kon daar nu niet aan denken. Nicole en Jasper waren welkom bij zijn ouders op de Veluwe. Wat hemzelf aanging: het maakte hem niet uit waar hij was. Hij verfoeide nu de lange schoolvakanties. Maar om het contact met zijn kinderen niet te verliezen, was het waarschijnlijk beter dat hij ook enige weken bij zijn ouders doorbracht. Zij zouden hem vrij laten en zich nergens mee bemoeien. Ze zouden hartelijk zijn en juist die hartelijkheid kon hij niet verdragen. Aan de andere kant; als iemand een opmerking maakte die duidde op volkomen onbegrip kon hij ontzettend kwaad worden. Zoals vorige week een van de moeders op school.
,,En meneer Van Schagen, bent u er al een beetje overheen? Ja, het leven gaat verder, zo gaat dat."
Maar zo ging het helemaal niet. Het léven ging dan misschien wel verder, maar zonder hem. Hij was stil blijven staan op de dag dat Hetty dat ongeluk kreeg.
,,Pappa, kijk eens."
Thomas knipperde met zijn ogen om de opkomende tranen terug te dringen. Vlak bij hen waggelde een moedereend met achter haar aan, keurig op een rij, negen donzen kuikentjes.
,,Leuk, hè. Ze hebben geen vader," ontdekte Jasper dan.
,,De moeder kan heel goed voor hen zorgen," zei Thomas. Hij zag de rimpel boven de neus van zijn zoon en stond op. Hij wilde niet discussiëren over het feit of het misschien beter was dat

een vader wegviel dan een moeder. Het zag er naar uit dat Jasper daar op zou komen als ze hier bleven zitten. Elke keer stelde hij het tijdstip om thuis te komen zo lang mogelijk uit.
Het huis waar Hetty nog leek te wonen door alles wat op dezelfde plaats was blijven staan. Het grote portret dat aan de wand in de kamer hing en vanwaar ze hem glimlachend leek aan te kijken. Hetty had de foto laten maken voor vaderdag en eerst had hij het een beetje gênant gevonden, zo'n grote foto van zijn vrouw in de kamer.
Zijn moeder had ook opgemerkt: ,,Hetty ziet zichzelf zeker graag. Ik zou er niet aan moeten denken dat ik steeds naar mijn eigen gezicht zou moeten kijken."
Hetty was echter trots op die foto en hij had er nu spijt van dat hij toen niet wat enthousiaster was geweest.
Zo vergingen de weken zonder enige vreugde, zonder blijheid. Een enkele keer, als Jasper voluit schaterde om iets op de televisie, kreeg hij onmiddellijk een woedende stomp van zijn zuster.
,,Laat hem," verzocht Thomas dan.
,,Hoe kan hij lachen?" viel Nicole uit.
,,Dit is toch gewoon leuk. Ik mag best lachen. Wíj zijn toch niet dood. Of wel?" verdedigde Jasper zich verontwaardigd.
Toen Nicole over haar toeren naar haar kamer was verdwenen, wist Thomas voor de zoveelste keer dat het allemaal verkeerd liep. De kinderen hadden er recht op dat het leven verder ging. Dat zei men. Maar Nicole en hijzelf leken wel vast te zitten in hun verdriet.
In die tijd hadden ze een vrolijk meisje als gezinsverzorgster. Ze deed zingend haar werk, maakte grapjes met de kinderen en kon vooral goed met Jasper opschieten. Thomas hoopte dat zij langer zou blijven dan de gemiddelde twee maanden. Sandra was echter al binnen drie weken verdwenen. Thomas had precies gehoord hoe het allemaal was gegaan.
Op een dag kwam Nicole van school thuis; ze had een sleutel van de voordeur en door het tegenlicht in de gang had ze een moment gedacht dat haar moeder in de gang stond. Ze gilde en Sandra draaide zich snel om. Ze bleek Hetty's jas te hebben gepast die nog altijd aan de kapstok hing.
Toen Thomas thuiskwam, trof hij zowel zijn dochter als de gezinsverzorgster totaal van streek aan.

,,Ze vloog me zowat aan," zei Sandra, nog steeds ontdaan.
,,Het was ook niet verstandig wat je deed. Die jas was van mijn vrouw," zei Thomas zacht.
,,Waarom laat u dat ding daar steeds hangen? Het huis staat ook vol persoonlijke eigendommen van uw vrouw."
,,Zo leven wij nu eenmaal. Mijn vrouw is pas acht maanden geleden..."
,,Dat weet ik heus wel, maar daarom hoeft het hier nog niet vol te staan met relikwieën. Zo komt u er nooit overheen. Of wilt u dat niet echt? Er zijn mensen die hun verdriet koesteren."
Thomas voelde dat hij begon te beven. ,,Luister, jongedame. Wat weet jij van een huwelijk van bijna vijftien jaar? Dat schuif je niet zomaar terzijde!" Hij hoorde zelf dat zijn stem trilde.
,,U maakt uzelf kapot en de kinderen erbij. U moet proberen verder te leven. U bent nog jong genoeg, u hoeft uw vrouw niet te vergeten maar..."
,,Je bedoelt dat ik maar eens naar een ander moet uitkijken."
,,Nu nog niet. Maar op den duur. Natuurlijk, u hoeft uzelf toch niet te veroordelen tot eeuwige eenzaamheid. Op den duur zou een andere vrouw..."
,,Ik moet er niet aan denken!"
,,Men zou zich kunnen afvragen of het huwelijk u zo is tegengevallen dat u er nooit meer aan wilt beginnen."
,,Hoe dúrf je zoiets te zeggen. Juist omdat ons huwelijk goed was, zal al het andere surrogaat zijn."
Het meisje zei niets meer. Het resultaat was wel dat hij de volgende dag weer iemand anders kreeg, met de mededeling dat Sandra het voor gezien hield. Ze werd somber en depressief van dit huis.
Zo'n huis moet je snel ontvluchten, stel je voor dat je in aanraking kwam met narigheid. Zoek de zonzij, dacht Thomas bitter.

Een zonnige dag. Een blonde jonge vrouw met man en twee kinderen fietsten over de hei, de man met de picknickmand achterop. Ze stopten op een open plek, een kleed werd uitgespreid, er werd gelachen, gestoeid. Toen wandelde de vrouw weg, in de richting van de bomen.
De man zag haar gaan, hij riep haar, maar de witte jurk loste op tot een vage vlek. Ze liep steeds verder van hen weg en de man

bleef roepen tot hij wakker werd. Thomas ging zitten, veegde de tranen van zijn gezicht. Dit was een steeds terugkerende nachtmerrie en iedere keer werd hij totaal overstuur wakker. Zou hij ooit over Hetty dromen en dan met een glimlach wakker worden?

Acht maanden voor Thomas van Schagens laatste nachtmerrie, riep een verpleegster naar haar collega: ,,Hé, waar hol jij naar toe?" Stefanie volgde haar vriendin door de lange ziekenhuisgang.
De ander draaide zich om. ,,Ik was net klaar. Ik ren naar de kantine omdat drie kwartier zo om zijn. Ga je mee iets eten?"
Samen zochten ze een tafeltje, nadat ze enkele broodjes en een kop soep hadden gehaald. ,,Hoe is het op jouw afdeling? Druk?"
Stefanie haalde de schouders op. ,,Zoals altijd. Het schijnt erg druk te zijn op Eerste Hulp. Vele mensen zijn gewond geraakt door rondvliegende dakpannen en dergelijke. Het schijnt nog harder te gaan waaien. Weet je, soms kan ik er ineens genoeg van hebben om de hele dag te rennen en nooit het gevoel te hebben dat je echt klaar bent. Plus het feit dat je nooit echt de tijd hebt, zelfs niet voor de minst vragende patiënt."
Francine knikte. Zij kende het probleem maar al te goed. Terwijl ze haar soep lepelde, nam ze haar vriendin op. Een pittig donker koppie, maar ze zag er moe uit.
,,Ik geloof niet dat ik geschikt ben voor dit werk," zei Stefanie op hetzelfde moment. ,,Het knaagt aan me dat er nooit tijd is om enige aandacht aan de patiënten te besteden."
,,Ik denk niet dat dit het enige is wat je dwars zit," meende Francine.
Stefanie antwoordde niet. Ze vroeg zich af wat haar vriendin bedoelde. Francine wist van Richard. Dacht ze soms dat het haar dwars zat dat hij voorlopig niet wilde trouwen of samenwonen? Ze had dat feit kort geleden aan haar vriendin verteld, maar toch niet op een manier waaruit Francine kon opmaken dat ze erover inzat. Stefanie vond het altijd een beetje moeilijk haar vriendin in haar relatie tot Richard te betrekken. Francine was alleen en het leek erop dat dat zo zou blijven. Ze was vier jaar ouder dan zijzelf. Niet dat dertig jaar nu echt oud was, maar een zekere mijlpaal was het wel. Daarbij had Francine

nooit een vriend gehad, voor zover zij wist. Ze schoof de lege soepkop opzij en begon haar broodje te smeren, toen Francine opeens zei: ,,Stef, ik moet je iets zeggen. Ik weet niet of ik er goed aan doe, maar ik ken je al zo lang. Je bent altijd voor eerlijkheid."

Stefanie liet haar broodje zakken en keek haar vriendin aan. Er was een zekere afweer in haar ogen.

,,Of weet je het?"

,,Wat bedoel je?"

,,Het gaat over Richard."

,,Als ik het niet dacht. Wilde je zeggen dat hij aardig is tegen alle meisjes en vrouwen die op zijn weg komen? Dat is mij bekend en het kan me niets schelen."

,,Dat bedoelde ik niet precies. Je gaat nu al twee jaar met hem om, is het niet?"

,,Heb je 't op de kalender aangetekend?"

,,Ik heb begrepen dat hier in het ziekenhuis niets over zijn privé-leven bekend is," ging Francine onverstoorbaar verder. ,,Hij is erg gesloten, zegt men. Iedereen mag hem trouwens; hij is inderdaad zeer charmant. Maar soms lijkt hij even vaag en ongrijpbaar als de narcose die hij zijn patiënten toedient."

,,Is dat alles?" Stefanies bruine ogen keken boos, haar stem trilde enigszins.

,,Nee, dat is níet alles, het spijt me. Dit was nog maar de inleiding. Richard woont in een bungalow in een dorp hier anderhalf uur vandaan. Hij is getrouwd en heeft twee kinderen."

Stefanie leek eindelijk geschokt. Het mes viel uit haar handen, maakte een kletterend geluid op de rand van haar bord. ,,Daar geloof ik niets van! Je bent jaloers. Hoe durf je al die leugens te vertellen!"

Het medelijden in Francines blik overtuigde Stefanie nog meer van de waarheid van haar woorden, dan wanneer ze woedend zou zijn uitgevallen. ,,Hij heeft immers een kamer hier in de buurt," bracht ze uit.

,,Vroeg je hem nooit iets? Bijvoorbeeld of hij familie had?"

,,Jawel, maar hij zei dat iedereen ver weg woonde en dat hij weinig contact met hen had."

,,Die kamer gebruikt hij onder andere als hij nachtdienst heeft. Hij trekt zich daar graag terug in zijn vrije uurtjes. Zijn bungalow is anderhalf uur rijden van het ziekenhuis vandaan. Daar-

om heeft hij die kamer, tijdens een wachtdienst is hij dan zo in het ziekenhuis. Voor een patiënt klaar is voor de operatiekamer is hij al aanwezig."
,,Hoe kun jij al die dingen weten die niemand weet?"
Francine besloot dat ze geen zachte heelmeester wilde zijn. ,,Ik hoorde het van een vroegere vriendin van hem. Zij is nu wijkverpleegkundige. Ik ontmoette haar in verband met opname van een patiënt. Zij vroeg hoe het nu met Richard ging en of hij nog veel veroveringen maakte. Ik vertelde haar dat hij al twee jaar dezelfde vriendin had en toen hoorde ik dus dit verhaal..."
,,Laat verder maar." Stefanie schoof haar bord van zich af. ,,Wat wil je met dit alles zeggen? Als het waar is, moet ik hem dan opgeven volgens jou? Hij kan wel een slecht huwelijk hebben."
,,Ongetwijfeld zal hij dat beweren," snoof Francine.
,,Ik houd van hem, Frans..."
,,Dat weet ik heus wel. Toch ben ik van mening dat je het beter nu kunt weten. Hoe langer zo'n relatie duurt, hoe moeilijker het wordt."
,,Misschien gaat hij wel scheiden."
,,Dat is mogelijk. Het zou ook best kunnen dat hij voor jou kiest, dat hij echt van je houdt. Maar het feit dat hij zijn privéleven voor jou verborgen houdt, maakt hem toch enigszins onbetrouwbaar, vind je niet? Stefanie, ik vind je te goed om zó behandeld te worden."
De verdere dag was Stefanie zo afwezig dat het zelfs sommige patiënten opviel. Niemand kon weten dat het binnen in haar even hard stormde als buiten. Omdat ze zo met zichzelf bezig was, ging het noodweer van die dag grotendeels aan haar voorbij. Ze hoorde van de jonge vrouw die een dodelijk ongeluk was overkomen. Toen ze de lange man het ziekenhuis zag verlaten, traag, aarzelend leek het wel, zo of hij niet weg wilde gaan van degene die hem het liefst was, ging er een gevoel van deernis door haar heen. Maar ze vergat hem weer.
Toen ze bijna was vergeten een suikerpatiënt zijn insuline-injectie te geven, zag ze in dat ze zo snel mogelijk met Richard moest praten. Het probleem was dat hij haar juist de vorige dag had gezegd dat hij het de komende week te druk had om afspraken met haar te maken. Er gingen wel vaker enkele weken voorbij zonder dat ze elkaar meer dan oppervlakkig zagen. Zij

had daar nooit iets achter gezocht, maar nu wist ze niet meer wat ze ervan denken moest.
Ze kon onmogelijk negeren wat Francine haar had verteld. Ze kende haar vriendin al lang. Zij zou haar niets voorliegen. Stefanie had Richard nooit achternagelopen en ze wilde daar ook nu niet aan beginnen, maar toch ging ze aan het eind van de middag naar de operatieafdeling. Het was stil op de gang, ook het licht boven de operatiezaal brandde niet. De geplande operaties gebeurden doorgaans in de morgenuren, maar de anesthesist moest beschikbaar zijn voor spoedgevallen.
Ze stond even besluiteloos in de gang toen ze van de andere kant de tweede narcotiseur zag aankomen.
,,Zoek je Richard? Hij is al naar huis.''
,,Ik dacht dat hij dienst had.''
,,Hij heeft de hele week vrij, wist je dat niet?'' De man keek haar nieuwsgierig aan.
,,Je hebt gelijk, ik had er niet aan gedacht.'' Ze haastte zich weg, wilde niet meewarig bekeken worden. Waar was ze mee bezig? Nooit had ze Richards gangen nagegaan. Ze lieten elkaar zoveel mogelijk vrij, dat was immers wel zo gemakkelijk voor hem. Waarom dacht ze nu zo? Stel dat Richard inderdaad getrouwd was, misschien had hij dan nu wel vrij genomen om de scheiding te regelen.
In het adressenbestand vond ze alleen het adres waar hij een kamer had en twee telefoonnummers. Het haar onbekende nummer noteerde ze, waarop ze naar huis ging. Ze was lopend en dat was maar goed, de meeste mensen konden niet op hun fiets blijven vanwege de harde wind. Er waren trouwens weinig mensen op straat. De wind rukte aan haar kleren en op een straathoek werd ze bijna omver geblazen. Binnen in haar stormde het even hard, dacht ze ironisch. Toen ze eenmaal op haar kamer was, voelde ze zich doodmoe. Dit was niet alleen vanwege het gevecht met de storm buiten. Het stond haar vreselijk tegen dat ze naspeuringen naar Richard had gedaan, al was het maar in het adressenbestand dat voor iedereen toegankelijk was. Toch besloot ze het haar onbekende nummer te draaien. ,,Met Wendy Hastings.''
Even leek het of haar hart ophield met kloppen, dan bonsde het in haar oren met zware slagen. ,,Met het ziekenhuis. Is je vader thuis?''

,,Pappa is met mamma boven. Even wachten.''
Nietsziend staarde Stefanie voor zich uit. Door het hoge raam zag ze een boomkruin heen en weer zwiepen. De storm deed de ramen af en toe rammelen.
,,Richard.''
Stefanie haalde diep adem.
,,Hallo? Met wie?''
Ze hoorde het ongeduld in zijn stem. ,,Met mij, met Stefanie.''
,,Met...? Allemachtig, wat mankeert jou? Waarom bel je me hier op?''
,,Ik moet je spreken.''
,,Dat kan nu niet... O, het is het ziekenhuis, schat... Luister, ik kom wel even langs als die ander het niet redt. Maar ik blijf niet. Ik heb verdorie vrij.''
Pas toen de bezettoon haar hele hoofd leek te vullen, legde Stefanie de hoorn op de haak. Hoe gemakkelijk was hij omgeschakeld, zonder enig probleem had hij zijn vrouw voorgelogen. Dit moest voor hem dagelijks werk zijn. Hij maakte zijn vrouw nu waarschijnlijk wijs dat ze in het ziekenhuis niet zonder hem konden werken. Dat zijn vervanger het blijkbaar niet aankon. Nu, hij moest dan wel verdomd snel zijn, wilde de patiënt het in zo'n geval nog redden. Zou zijn vrouw geen argwaan krijgen? Zij wist natuurlijk niets van de gang van zaken in het ziekenhuis. Hoe gemakkelijk was het naïeve mensen te bedriegen als je maar een knap gezicht had en mooie praatjes.''
Ze had haar uniform nog aan toen de bel ging. Richard hield daar niet van, het liefst zag hij haar heel sjiek of een tikje gewaagd gekleed. Toen ze de deur voor hem opende, schoof hij snel langs haar heen, zijn gezicht stond nijdig.
,,Wat is dat voor onzin, om mij met dit noodweer helemaal hierheen te laten komen,'' ging hij onmiddellijk tot de aanval over.
,,Je bent me wel enige uitleg verschuldigd.'' Haar stem klonk veel minder afstandelijk dan de bedoeling was geweest.
,,Je hebt natuurlijk gelijk. Maar het kwam door jezelf dat ik niet helemaal eerlijk tegen je was. Zoals jij praatte over je ouders, daardoor wist ik toch dat jij een man die ontrouw was, heel scherp veroordeelde. Ik wilde je niet kwijt. Je weet toch dat ik van je houd?''
,,En je vrouw? Houd je daar niet van?''

,,Ach, dat is allemaal zo gewoon geworden. Het is niet zo dat ik een hekel aan haar heb... eh, hoe moet ik het zeggen? De fleur is er af, we hebben elkaar zo weinig meer te zeggen."
,,En je kinderen? Je hebt er toch twee?"
,,Heb je een detective ingeschakeld? Goed, het was niet fair dat ik jou niets vertelde, dat geef ik onmiddellijk toe. Maar binnen niet al te lange tijd ga ik scheiden. Het leek me niet nodig jou met mijn problemen te belasten."
Stefanie keek hem aan; het was of ze hem voor het eerst goed zag. ,,En wat na de scheiding? Wilde je dan met mij trouwen?"
,,Het is niet nodig dat we gelijk trouwen. Liefje, er zijn toch meer relaties mogelijk. Sinds wanneer ben jij zo trouwlustig? Je weet, mensen die met een scheiding bezig zijn, dat geeft nogal wat problemen. Maar eens, wie weet... Wat is er nou zo erg? Massa's mannen hebben een vriendin, terwijl ze nog getrouwd zijn."
,,Daar gaat het niet alleen om. Hoewel, als ik het geweten had, was ik waarschijnlijk ver uit je buurt gebleven. Voortdurend heb je gelogen en bedrogen. Dat is een tweede natuur van je geworden, dat zie ik nu in. Je loog ook onmiddellijk tegen je vrouw toen ik opbelde. Het gaat je heel gemakkelijk af."
,,Had ik soms moeten zeggen: 'Mijn vriendin is aan de telefoon'? Zij denkt dat we een goed huwelijk hebben. De kinderen hebben een vader nodig en zij houdt van me."
,,Ik heb medelijden met je vrouw. Ik wil niet in zo'n situatie verzeild raken waarbij ik er de oorzaak van ben dat een heel gezin ontwricht wordt."
,,Daar zit je dus nu al middenin. We kennen elkaar twee jaar en je houdt van me."
,,Dat ontken ik niet, maar ik sta mezelf niet toe nog langer van je te houden."
Hij keek haar aan en van haar op zijn horloge. Het was of hij zijn kansen afwoog, of hij haar in korte tijd van gedachten kon doen veranderen. Hij zag echter dat dit hem te veel energie zou kosten. Zoveel tijd kon hij op dit moment niet vrijmaken. Dus ging hij.
,,We praten hier nog over," zei hij bij de deur.
Stefanie antwoordde niet. Ze leunde tegen de dichte voordeur, terwijl de tranen haar over de wangen liepen. Want hij had gelijk, ze hield van hem. Maar ze zou in die liefde steeds opnieuw

gekwetst worden. Ze wist té goed hoe zoiets werkte. Waarom had ze Richard niet gelijk herkend als de eeuwige charmeur die nooit genoeg had aan één vrouw? Had ze het voorbeeld van een dergelijke figuur niet jaren voor ogen gehad in de persoon van haar eigen vader? Ze was er nu zeker van dat hij haar moeder jaren met andere vrouwen had bedrogen.
Ze wist niet meer precies wanneer haar dat duidelijk was geworden. Vader was soms maanden weg; hij was op de grote vaart. Als hij ergens een andere vrouw had, was dat moeilijk te controleren. Maar toch, als kind had ze al het gevoel gehad dat er iets was wat niet in orde was, iets waar ze toch de vinger niet op kon leggen. Haar tengere, altijd wat ziekelijke moeder was zelden echt vrolijk. Alleen als haar man thuis was, dan was het korte tijd feest. Haar vader koesterde zich die eerste dagen na zijn thuiskomst in de liefde en aandacht van zijn vrouw en dochter, maar langer dan een week hield hij het niet vol. Dan begon hij uit te gaan, kwam vaak pas na middernacht thuis. Hij vond het saai bij hen, had haar moeder gezegd. Hij was geen man voor een normaal huiselijk leven.
Pas later – toen ze een tiener was – had ze ontdekt dat haar vader een onverbeterlijke vrouwenjager was. Zelfs tijdens haar moeders ziekte had ze soms het vermoeden gehad dat er een andere vrouw in het spel was. Maar ze had het nooit zeker geweten. Haar vader was die laatste weken van haar leven wel veel thuis. Op zijn manier was hij bezorgd en lief voor haar.
,,Nu het te laat is,'' had ze hem toegebeten.
Moeder had gezegd: ,,Steffie, hij kan niet anders.''
Moeder had hem blijkbaar vergeven, wat hem de vrijheid gaf om na de begrafenis onmiddellijk troost te zoeken bij die ander. Hij moest die Gina al gekend hebben. Zo snel kon er immers geen relatie ontstaan met een vrouw die dan ook nog bereid was hem binnen korte tijd naar Frankrijk te volgen. Als hij tenminste maar zo fatsoenlijk was geweest om tijdens haar ernstige ziekte alleen aan zijn vrouw te denken. Maar zelfs daar was ze niet zeker van.
Toch had ze nog wel contact met haar vader. Hij woonde in een schitterend huis in het midden van Frankrijk en ze hield van die streek, waar zoveel ruimte en rust was. Daarbij was haar vader ook tegen haar uiterst charmant en als ze het verleden liet rusten, kon er weinig misgaan. Maar ze bleef uiterst koel tegen

Gina. Er was altijd dat vage wantrouwen of zij haar vader al had ontmoet tijdens de ernstige ziekte van zijn vrouw en of ze toen al een relatie waren aangegaan. Waarschijnlijk zou ze dit nooit zeker weten en dat was maar beter ook. Ook Gina keek haar vader naar de ogen als was hij een sprookjesprins.
Hoe kan een vrouw zo volkomen in de ban van een man zijn dat ze zelfs zijn fouten niet meer ziet? had ze zich toen afgevraagd. Ze had zich voorgenomen zichzelf nooit zo aan een man over te geven. En wat gebeurde er? Ze was aardig op weg om van andermans huwelijk een puinhoop te maken. Het enige excuus was dat ze het niet had geweten. Echter, als ze het had willen zien, had ze al veel eerder achterdochtig moeten worden. Maar ze had hem gelijk gegeven: ze moesten elkaar zoveel mogelijk vrijlaten. ,,In vrijheid zal onze liefde beter groeien,'' had hij dichterlijk beweerd.
Stefanie was intussen op de bank terechtgekomen en staarde naar de foto van Richard. Hoe moest ze het volhouden als ze hem regelmatig bleef tegenkomen? En dat was onvermijdelijk, ze werkten in hetzelfde ziekenhuis. Richard zou zomaar niet opgeven. Hij kon er niet tegen als hij aan de kant werd gezet. Het beste zou zijn om ander werk te zoeken. Aan de andere kant: moest ze voor hem wegvluchten? Kon ze nog wel van hem houden, nu ze wist dat hij na een nacht bij haar, weer bij zijn wettige vrouw sliep? Misschien zou hij haar dezelfde lieve woorden influisteren. Ze werd altijd geprezen om haar gezonde verstand, maar het was bijzonder moeilijk om dit met haar gebruikelijke nuchterheid en gevoel voor humor onder ogen te zien. Wat ze niet van zichzelf kon begrijpen, was dat ze in precies dezelfde val was gelopen als indertijd haar moeder. Maar zij was er op tijd achter gekomen, ze was nog niet met hem getrouwd. Alleen, wat maakte een trouwboekje voor verschil? Een relatie van twee jaar kon niet zomaar worden weggeveegd.

HOOFDSTUK 2

Het was een dag met verspreide regenvlagen die elkaar boven de stad najoegen. Mensen haastten zich door de straten, gun-

den de etalages vol vrolijke lentekleuren nauwelijks een blik. Volgens de kalender zou de winter officieel voorbij moeten zijn maar van lente was nog weinig te merken, behalve in de etalages en bij het bloemenstalletje op de brug. De narcissen en tulpen waren een klein maar vrolijk intermezzo tussen alle regenjassen en paraplu's.
,,Wat kalmer aan doen," had de dokter gezegd. Jazeker, of dat zo gemakkelijk ging.
Thomas van Schagen beende nijdig over het trottoir, botste soms tegen iemand aan en mompelde automatisch een verontschuldiging. Hij was blootshoofds, zijn haar en gezicht waren drijfnat van de regen maar hij merkte het nauwelijks. Het beste was nu regelrecht naar huis te gaan. Op school rekende men toch niet meer op hem. De kinderen zouden het wel prettig vinden als ze deze keer niet in een leeg huis kwamen. Hij kon beter gelijk wat meenemen voor het avondeten want gisteren hadden ze ook al frites gehaald. De dag daarvoor was er brood gegeten, weliswaar met een omelet, maar dat was toch niet wat men voor kinderen onder gezonde voeding verstond.
Toen hij met de winkelwagen langs de welgevulde schappen reed, ergerde hij zich aan sommige vrouwen die alle tijd schenen te hebben en midden in het pad een praatje maakten, zodat hij er niet voorbij kon. Zijn verzoek of hij langs mocht, klonk allesbehalve vriendelijk. Bij het zien van zijn boze blik schoven de vrouwen wat opzij, waarbij één van hen opmerkte: ,,Zeker weer zo'n huisman die er eigenlijk geen zin in heeft."
Thomas klemde zijn lippen op elkaar. Hij was woedend, maar nog niet zo onredelijk dat hij de vrouw daarvan de schuld gaf. In een opwelling kocht hij een zakje vrolijk gekleurde drop voor de kinderen. Met een geroutineerd gebaar legde hij zijn boodschappen op de lopende band maar moest nog even wachten tot de blonde vrouw vóór hem betaald had. Met haar smalle vingers zocht ze in haar portemonnee en ineens zag hij een andere vrouw, zoekend naar geld. Hetty, absoluut van plan haar eigen consumptie te betalen. Ze gingen toen één van de eerste keren met elkaar uit.
Hij beet op zijn lip, laadde snel de boodschappen in de papieren tas en slikte krampachtig. Het mankeerde er nog maar aan dat hij hier, midden in de supermarkt zijn zelfbeheersing verloor. O, misschien zouden er wel mensen zijn die hem zouden troos-

ten, maar die ene... nooit meer die ene... Even later haastte hij zich naar huis en niemand kon zien of zijn gezicht nat was van tranen of van het regenwater.
Thomas bewoonde een grachtenpand dat van binnen helemaal was gemoderniseerd en bijzonder smaakvol was ingericht. Eenmaal in de hal hing hij zijn drijfnatte jas op een haakje, de andere vrolijke gekleurde regenjas zorgvuldig opzij hangend. Hij deponeerde de boodschappen in de keuken en begon gelijk maar met het vlees op te zetten en dan de aardappelen te schillen. Intussen dacht hij aan zijn gesprek met de dokter. Het was zeker niet de eerste keer dat hij daar kwam met allerlei vage klachten, zoals hoofdpijn en slapeloosheid. Hij wist natuurlijk heel goed wat de oorzaak was van die klachten en de dokter wist het ook.
,,U bent aan een lange vakantie toe," had de arts gezegd.
,,Vakantie? In mijn eentje zeker."
,,Tja. Misschien hebt u vrienden..."
Natuurlijk had hij vrienden en kennissen, maar er was niemand waarmee hij op vakantie wilde. Trouwens, wie zou er voor de kinderen moeten zorgen? Ze hadden het al moeilijk genoeg. Net, nu het soms leek of ze in wat rustiger vaarwater waren gekomen, zou hij het laten afweten. Toch bleef hij erbij dat het een goed besluit was geweest toen hij enkele maanden geleden de gezinshulp had afgebeld. Iedere keer als de kinderen enigszins aan zo'n vrouw leken te wennen, verscheen er weer iemand anders. Het was niet goed als de hulp zich te veel aan één gezin hechtte, werd er gezegd. Dat was misschien niet onredelijk, maar het zou goed zijn als men ook eens aan de tegenpartij dacht.
Hij hoorde de sleutel omdraaien. Daar waren ze. Ze kwamen in één ren de keuken binnen, ze hadden zijn jas al zien hangen.
,,Zo, dat valt mee, hè?" begroette hij hen opgewekt.
,,Laat het vlees niet verbranden zoals de vorige keer," was Nicoles kattige antwoord. Daar het inderdaad hoog tijd werd dat hij het gas lager draaide, wees hij haar niet terecht.
,,Wat eten we? Toch geen spruitjes?" Dat was Jasper, zijn negenjarige zoon die hem wantrouwend aankeek. Keek hij hem de laatste tijd ooit anders aan?
,,Ik heb iets lekkers voor toe en ik zal de aardappelen bakken," beloofde Thomas.

,,Hang je jas aan de kapstok,'' wees Nicole haar broertje terecht. Jasper deed of hij het niet hoorde en met een onmerkbare zucht raapte zijn vader zelf het jack op en bracht het naar de hal. Jasper had weer één van zijn buien. Tegen de draad in, ruzie zoekend, en als het daarop uitdraaide, tranen. Tranen, niet vanwege de ruzie maar vanwege het grote gemis dat zij allen meedroegen.
,,Je moet niet alles voor hem doen.'' Nicole was bij de tafel gaan zitten. De blauwe ogen leken te wijs voor haar twaalf jaar.
,,Wil jij de tafel dekken?''
Ze knikte. Ze legde met precieze bewegingen het tafellaken op tafel en streek hier en daar een vouwtje glad. Zijn hart kneep samen. Zij had zoveel van Hetty, soms dacht hij dat ze ook echt haar best deed haar moeder te imiteren.
Eenmaal aan tafel probeerde Thomas krampachtig de stemming positief te beïnvloeden, hoewel Jasper hem voortdurend zat uit te dagen. Het probleem van de spruitjes werd even uitgesteld doordat er soep was van de vorige dag. Thomas vroeg de kinderen hoe het op school was. Nicole vertelde een en ander, maar Jasper keek bokkig voor zich uit. Toen zijn vader de groente op zijn bord schepte, schoof het kind met zijn vork de spruitje zover naar achteren dat ze over de rand over de tafel rolden.
,,Laat dat. Je moet groente eten, dat is gezond.'' Thomas keek hem streng aan.
,,Ik hoef niet gezond.''
,,O nee? Wat moet er dan als je ziek wordt? Wie moet er op je passen als ik op school ben?'' Het was een van de schrikbeelden van Thomas dat een van de kinderen ziek zou worden.
Jasper dacht na. ,,Ik kan best alleen blijven.''
,,Dat durf je niet eens. Je bent bang alleen in huis,'' liet Nicole zich horen.
Thomas fronste zijn voorhoofd en schudde onmerkbaar het hoofd. Het was niet goed elkaars zwakheden zomaar op tafel te gooien. Maar Nicole was waarschijnlijk nog te jong om dat te beseffen.
,,Van mamma hoefde ik nooit spruitjes. Van haar kreeg ik appelmoes.''
,,Goed, dan geen spruitjes. Je hoeft wat mij betreft helemaal niet te eten.''

Thomas werd driftig. Zijn drift was één van zijn slechte eigenschappen die Hetty vaak met een blik of een korte opmerking had weten te bezweren. Maar er was geen Hetty, en Thomas was oververmoeid. ,,Appelmoes is er niet, dus dan eet je maar niets."
,,U zorgt nooit eens voor lekker eten." Thomas staarde zijn zoon aan, maar deze sloeg zijn ogen niet neer. ,,Het is hier nooit meer leuk."
,,Nee, daarin heb je volkomen gelijk. Waarom zou het hier leuk moeten zijn?"
,,Omdat... andere kinderen... Ik wil mamma."
Bij deze kreet brak Thomas' zelfbeheersing. ,,Denk je dat ik dat ook niet wil! Maar ze is er niet meer en je zult onder ogen moeten zien dat ze nooit meer terugkomt. Je moet niet denken dat jij de enige bent die haar mist." Hij liet zijn hoofd in de handen zakken. Droge snikken wrongen zich uit zijn keel. Het was de eerste keer dat hij zich zo liet gaan in het bijzijn van de kinderen. Iets zei hem dat dit verkeerd was, helemaal verkeerd, maar er was niets wat hem kon doen ophouden. Hij voelde hoe de kinderen bij hem kwamen staan en blindelings sloeg hij een arm om hen heen.
,,Ik wist niet dat je het nog steeds zo erg vond. Je praat bijna nooit over haar en je leek soms zo vrolijk." Er klonk een verwijt in Nicoles stem.
Het was allemaal gedwongen, dacht Thomas. Ik droeg een masker, omdat ik dacht dat het beter was voor de kinderen. Hij richtte zich op, trok de kinderen dichter tegen zich aan. De uitbarsting had hem enigszins opgelucht, maar de problemen bleven even groot.
Langzaam zei hij: ,,Er moet iets gebeuren. Zal ik dan toch maar weer gezinshulp aanvragen?"
,,Nee, pappa, niet steeds opnieuw andere vrouwen in ons huis. Weet u nog die laatste? Zij paste mamma's jas. Ze stond ermee voor de spiegel en toen ik binnenkwam dacht ik..." Nicoles stem stokte.
Thomas herinnerde zich de scène nog precies. Het was mede de aanleiding geweest om in het vervolg alles alleen op te knappen. Voorzichtig probeerde hij de kinderen uit te leggen dat het te veel voor hem werd, naast zijn werk ook nog het huishouden, boodschappen doen en koken.

,,Misschien moet ik een advertentie laten plaatsen," aarzelde hij.
,,Wat voor advertentie? Dat u weer wilt trouwen?" De achterdocht in Nicoles stem was onmiskenbaar.
Hij schudde haastig zijn hoofd. ,,Dat zeker niet. Er moet iemand komen om voor jullie te zorgen."
,,Als u dat echt gaat doen, moet u erbij zetten dat u niet wilt trouwen," bedong Nicole.
Thomas keek haar aan. Hoe kwam het kind erbij dat hij zou willen hertrouwen?
,,Ze zeiden op school dat het vast niet lang meer zou duren," verklaarde zijn dochter die zijn vragende blik begreep. ,,Mamma was al zo lang dood, zeiden ze."
,,Lang? Voor anderen lijkt dat misschien wel zo. Maar zij hebben mamma niet gekend zoals wij."
,,Als u zo'n advertentie zet, is het dan echt niet omdat u weer wilt trouwen?"
,,Echt niet."
Thomas besloot nu helemaal open kaart te spelen, vertelde van zijn bezoek aan de dokter. ,,Hij schijnt te denken dat ik ziek word als ik naast mijn baan ook het huishouden blijf doen."
,,Kun je dan niet alleen maar hier zijn?" bedacht Jasper.
,,Nee, jochie. Ik moet geld verdienen. Wij willen hier toch graag blijven wonen. Als ik mijn werk opzeg, moeten we om te beginnen verhuizen."
De kinderen schudden heftig hun hoofd. Ze hielden allemaal van het huis met zijn ruime hoge kamers en de vele onverwachte hoekjes. Bovendien was het helemaal door Hetty ingericht. Soms leek het of zij er pas nog was geweest en als Thomas de ogen sloot, zag hij haar in de erker zitten, bezig met droogbloemen of met tekenen. Hetty was altijd bijzonder creatief en dat was overal in huis te zien.
De kinderen waren gedweeër dan anders toen hij hen naar bed stuurde. Waarschijnlijk een gevolg van zijn uitbarsting, dacht Thomas een beetje beschaamd. Hij zette zich aan tafel om een advertentie op te stellen. Voor zichzelf maakte hij een lijstje wat zijn wensen waren, begon toen grimmig een en ander door te strepen. Wat hij wilde, was een soort duizendpoot, een tweede moeder voor zijn kinderen, zonder dat ze zich aan hem zou opdringen. Uiteindelijk besloot hij tot:

Vriendelijk meisje gezocht als opvang voor mijn kinderen. Zij moet bereid zijn enig huishoudelijk werk te verrichten en te koken. Huwelijk absoluut uitgesloten.

Dan zijn naam en adres. Het was vrij kort, maar het was toch onmogelijk in een advertentie uit te drukken wat hij precies wilde. Trouwens, het enige wat hij echt wilde, was Hetty terug.
,,Onbewust hebt u het verwerken van uw verlies uitgesteld omwille van de kinderen,'' had de dokter gezegd. Misschien had de man gelijk, maar als de komende tijd nog meer somberheid zou brengen dan het afgelopen jaar, werd het leven bijna ondraaglijk. Terwijl hij daar aan tafel zat, verschenen er beelden van zijn tengere blonde vrouw. Zo slank en teer was ze geweest. Ze kon wel omwaaien, had zijn vader gezegd. Uiteindelijk waren dit bijna profetische woorden gebleken, want indirect was het een storm geweest die Hetty geveld had. Daardoor had ze de macht over haar stuur verloren en was op de vrachtwagen gebotst.
Hetty had geen enkele kans gehad in haar Mini. Toen hij het wrak van de kleine wagen had gezien, had hij zich ziek voelen worden. Soms zag hij het beeld nog voor zich. Vaak, té vaak dacht hij aan die rampzalige dag terug, wist zich precies te herinneren hoe ze hem hadden ingelicht en hoe de kinderen hadden gereageerd. Ze waren in een leegte terechtgekomen die nooit meer opgevuld kon worden. Als hen ooit was gebleken dat Hetty de spil van hun leven was geweest, dan was het wel het afgelopen jaar.
Wat was er veranderd in de voorbije dertien maanden, behalve dat de kinderen niet meer naar de deur renden als de bel ging? Dat ze niet meer iedere blonde vrouw die hun pad kruiste, nakeken maar zich juist afwendden. Nog steeds was daar het verdriet en het enorme gemis.
Natuurlijk, de kinderen zouden er op den duur overheengroeien, al zouden ze er wel een litteken aan overhouden. Maar hijzelf, hoe moest hij verder? Zonder ooit een volwassene om mee te praten als hij thuiskwam. Moest hij zijn verdere leven zonder liefde? Met Hetty had hij een perfecte relatie gehad. Al het andere zou surrogaat zijn, daargelaten of hij zich ooit weer voor een vrouw zou interesseren.
De klok liet twee slagen horen. Met een zucht stond hij op. Het

had weinig zin vroeg naar bed te gaan, daar hij toch niet zou kunnen slapen. Hij schoof het briefje in zijn portefeuille. Veel verwachting had hij er niet van, maar hij zou het morgen bij de plaatselijke krant afgeven.

Stefanie las de krant tijdens haar lunchpauze in de kantine. Natuurlijk was zij niet de enige die de advertentie opmerkte, maar misschien was ze wél de enige die positief werd beïnvloed door de laatste zin: 'Huwelijk absoluut uitgesloten'.
Het moest een verademing zijn met een man om te gaan die geen bijbedoelingen had. Hoewel dat laatste natuurlijk niet uitgesloten was. Het ging alleen om een huwelijk. Misschien wilde de man in kwestie júist een verhouding, maar dan wel vrijblijvend. Peinzend streek ze de krant glad, scheurde dan voorzichtig de advertentie ertussenuit. Was het zo langzamerhand geen tijd dat ze het ziekenhuis achter zich liet? Ze zou snel genoeg door hebben welke figuur dit was, ze was tenslotte geen groentje meer. Geen naïef meisje uit een provinciestadje, zoals acht jaar geleden. Ze was naar de stad gekomen om een bepaalde studierichting te volgen. Na twee jaar medicijnen was ze gestopt om over te stappen naar de HBO-opleiding voor verpleegkundige.
Nu werkte ze alweer enkele jaren in dit academisch ziekenhuis. Het werk was zwaar, daarbij was ze er inmiddels achter dat ze ongeschikt was voor de taak. Na de ziekte van haar moeder was ze in een opwelling de studie gaan volgen, maar een eigen moeder verzorgen was wel heel anders dan enorm hard werken en dan nog alleen het allernodigste kunnen doen voor de patiënten. Zij, in haar jeudig idealisme, had gedacht dat ze naar de mensen zou luisteren, hen indien nodig moed zou inspreken. Maar een stoel bij een bed trekken, even praten: het was er niet bij. Zoiets ging altijd ten koste van het andere personeel. Maar dat was niet de enige reden dat ze weg wilde. Richard was er ook nog en van hem was ze nog steeds niet helemaal los. Hoe zou dat kunnen? Ze zag hem regelmatig, hij zocht haar op en ze had nog steeds de deur niet definitief voor zijn neus dichtgeslagen. Terwijl ze gedachteloos haar koffie dronk, lieten haar ogen de advertentie niet los. Schrijven of niet? Waarom eigenlijk niet, ze legde zich toch niet voor het leven vast door het schrijven van een briefje?

Thomas kreeg zeven brieven, waarvan er direct al vier afvielen doordat de schrijfster duidelijk liet blijken dat ze de laatste zin niet serieus namen, of verkeerd begrepen.
Er was een brief bij van een gescheiden vrouw met twee kinderen die onmiddellijk bij hem wilde intrekken. En een epistel van een meisje van achttien die thuis weg wilde. Drie brieven bleven over en met deze vrouwen maakte hij een afspraak.
Met de eerste had hij een ontmoeting in een restaurant voorgesteld, omdat hij van mening was dat een afspraak op neutraal terrein beter was. Hoewel de vrouw vriendelijk genoeg leek, was zij het zelf die na een uur afhaakte met de mededeling dat het werk haar bij nader inzien niet aantrok. Toen Thomas antwoordde dat ze dat onmogelijk nu al kon weten, zei ze: ,,Er hangt zo'n sfeer van troosteloosheid om u heen, daar kan ik niet in leven. Ik ben er zo eentje van pluk de dag en laten we plezier maken. Binnen de kortste keren zou ik afknappen op die somberheid van u.''
Waarschijnlijk had ze gelijk, dacht Thomas. Mensen die oppervlakkig door het leven fladderden, daar kon hij niet meer tegen. Hij besloot de laatste twee dames bij hem thuis uit te nodigen en de kinderen er ook in te betrekken.
Zo had hij om vier uur afgesproken met Andrea. Toen hij de deur voor haar opende, kreeg hij een schok. Een tengere blonde vrouw die hem onmiddellijk aan Hetty deed denken. Hij liet haar binnen, zag hoe ze vol bewondering de inrichting van de grote achterkamer in zich opnam. Het viel hem op dat ze een haast schichtige blik wierp op het portret van Hetty.
Hij ging tegenover haar zitten en ze raakten in gesprek. Ze bleek op een accountantskantoor te werken, maar had het daar nu wel gezien. Het leek haar heerlijk voor een paar kinderen te zorgen die hun moeder waarschijnlijk heel erg misten. Ze was dol op kinderen en misschien was het feit dat zij ze zelf nooit zou krijgen daar niet vreemd aan. Enkele jaren geleden had ze een abortus ondergaan, men had toen gezegd dat de kans op een volgende zwangerschap zeer klein was.
Thomas was enigszins geschokt door deze openhartigheid maar bedacht dan dat de vrouw tien jaar jonger was dan hijzelf. Jongeren schenen steeds gemakkelijker over de intiemste aangelegenheden te praten. Hij merkte dat hij haar zat aan te staren, toen ze vroeg: ,,Beval ik u nogal?''

,,Neem me niet kwalijk, je doet me een beetje aan mijn vrouw denken."
,,Dat is prima zou ik zeggen, zeker voor de kinderen."
Of de kinderen het werkelijk prima vonden, kwam hij niet direct te weten. Ze bekeken de bezoekster met enig wantrouwen, maar het viel Thomas op dat Jasper dicht in haar buurt bleef. Ze nam ten slotte afscheid met Thomas' belofte dat hij spoedig van zich zou laten horen.
,,U moet deze maar nemen," zei Jasper op een toon of ze zojuist in een winkel iets hadden uitgezocht.
Nicole zat nog steeds stilletjes in haar hoekje, de blauwe ogen hadden dezelfde uitdrukking als Hetty altijd had als ze het voor en tegen van iets overwoog.
,,Vond je haar aardig?" probeerde Thomas.
,,Hoe weet ik dat nou? Dat weet je toch nooit." Ze stond met een ruk op en verliet de kamer. Hij hoorde haar de trap oprennen en de deur van haar kamer dichtslaan.
,,Die vrouw had net zulk haar als mamma," zei Jasper dromerig.
,,Dat is zo. Maar ze is mamma niet," zei Thomas zachtjes. ,,Deze vrouw heet Andrea. Ze heeft blond haar net als mamma had, maar ze is heel anders dan zij. Mamma krijgen we niet meer terug, Jasper, dat weet je toch? Ook als iemand op haar lijkt, zal ze toch heel anders zijn."
,,Je weet helemaal niet of ze anders is. Ze zei dat ze ons leuke kinderen vond. Mamma vond ons ook leuk."
,,Natuurlijk, mamma hield van jullie," beaamde Thomas.
Jasper liep naar de deur en draaide zich naar hem om. ,,Je moet alleen iemand nemen die van ons houdt. Anders hoeft het niet."
Toen hij de deur uit was, stond Thomas op en liep naar de grote foto van Hetty.
,,Wat moet ik doen? Niemand kan jou immers ooit vervangen. Ik wil alleen dat het wat gemakkelijker gaat voor ons drieën," fluisterde hij. Hij staarde naar het portret tot de afbeelding wazig werd en alles door elkaar liep tot een vage grijze vlek, waarin het blauw van de ogen tot het laatst bleef overheersen.
De laatste briefschrijfster zou de volgende dag komen. De kinderen zouden de eerste tijd op hun kamer blijven, maar hij had hun beloofd dat ze kennis mochten maken. Zij zouden eigenlijk

de doorslaggevende stem in deze zaak moeten hebben. Maar ze waren te jong; ze gingen te veel op het uiterlijk af, dat was gisteren gebleken toen Jasper viel voor Andrea's haarkleur.
Het regende die avond en Thomas had de open haard aangestoken, waardoor de kamer er warm en gezellig uitzag. Er was licht op de juiste plaatsen, alles paste perfect bij elkaar. Zijn hand gleed even langs de rugleuning van het rieten stoeltje dat vlak bij de haard stond. Hetty's plaats.
De bel ging precies op tijd. Op de stoep stond een jonge vrouw, bijna even lang als hijzelf. Een rode paraplu beschermde haar tegen de regen. Hij had Hetty's jas zorgvuldig opzij gehangen, maar deze vrouw zocht geen kleerhanger, ze mikte haar jas op het eerste het beste haakje. Ze schudde zich als een hondje Ze streek met twee vingers door het donkere haar, wierp een vluchtige blik in de spiegel en volgde hem dan naar de kamer waar ze hem open aankeek.
,,Ik ben Stefanie Berkhof en jij bent Thomas van Schagen. Mag ik gaan zitten?" Ze was al in Hetty's stoel neergezakt voor Thomas iets kon zeggen, maar iets in zijn gezicht scheen haar op te vallen. ,,Is er iets?"
,,Nee, nee." Het kwam hem ineens dwaas voor haar te zeggen dat hij niet wilde dat ze in die stoel zat.
,,Het is perfect ingericht als je van deze stijl houdt."
,,Jij houdt er niet van?" meende Thomas uit haar woorden te moeten opmaken.
Ze glimlachte, wat haar heel aantrekkelijk maakte. ,,Wie ben ik? Laten we tot de zaak komen. Vertelt u me eens wat precies de bedoeling was van uw advertentie. Vriendelijk meisje gezocht. Nu, dat ben ik meestal, maar zeker niet altijd. Soms ben ik chagrijnig."
,,Niemand is volmaakt."
,,Als ik rondkijk en deze inrichting zie, krijg ik het gevoel dat jij iemand zoekt die wél volmaakt is. Heb je trouwens veel aanbiedingen gehad?"
,,Ik moet kiezen tussen jou en iemand anders," antwoordde Thomas wat stijfjes. ,,Vertel me eens wat over jezelf als je wilt."
,,Stefanie Jolande Berkhof. Leeftijd zevenentwintig jaar. Niet getrouwd, maar wel een relatie gehad die nu verbroken is. Sindsdien heb ik besloten alleen te blijven. Ik werk in het aca-

demisch ziekenhuis maar daar schijnt mijn roeping toch niet te liggen. Veel familie heb ik niet. Mijn vader zat vroeger op de grote vaart, nu woont hij permanent in het midden van Frankrijk. Mijn moeder is overleden. Vader vindt zichzelf nogal een geslaagd persoon; hij woont samen met een vrouw die tien jaar jonger is. O ja, dan heb ik nog een tante..."
,,Je hoeft me niet alles over je familie te vertellen," viel Thomas haar geërgerd in de rede. Hij zag een sprankje humor in haar donkere ogen en abrupt stond hij op. ,,Koffie of thee?"
,,Koffie graag."
Natuurlijk dronk ze koffie, hij had niet anders verwacht. Hij zag deze eigengereide tante nog geen thee drinken uit Hetty's porseleinen kopjes of sierlijke glazen. Terwijl hij in de keuken bezig was, wierp hij af en toe een blik door de glazen deur. Ze was wel leuk om te zien met dat donkere, bijna zwarte haar. Jammer dat ze het slordig op een staart had gebonden, hij hield van vrouwen met loshangend haar. Het zachtgele jasje stond goed bij haar iets getinte huid en ook op de spijkerbroek. Lieve help, Hetty had nooit een spijkerbroek gedragen, zij vond dat ordinair. Maar hij moest ophouden iedere vrouw steeds met Hetty te vergelijken. Misschien was het juist wel goed dat ze in niets op haar leek. De vrouw van de vorige dag met het blonde haar had hem sterk aan Hetty doen denken en prompt had hij weer over haar gedroomd.
Stefanie nam even later het blad met de kopjes van hem over, dronk rustig.
Ze leek volkomen op haar gemak, eigenlijk veel rustiger dan die Andrea.
,,Wil je met de kinderen kennis maken?"
,,Als je denkt dat het zin heeft, waarom niet? In het algemeen ben ik niet dol op kinderen van die leeftijd, maar misschien zijn die van jou een uitzondering."
Thomas wilde haar vragen wat haar bezield had op de advertentie te schrijven, maar ze gaf zelf het antwoord al.
,,Ik wilde niet meer in het ziekenhuis werken omdat ik hém daar steeds tegenkom. Het heeft me veel moeite gekost met hem te breken, het is veel beter als ik hem niet meer zie. Hij neemt mijn afwijzende houding namelijk absoluut niet serieus. Daardoor heb ik daar zelf ook moeite mee. Ik wil overigens wel oproepkracht blijven."

,,Wat houdt dat in?"
,,Gemiddeld één dag per week werken en soms een nachtdienst draaien. Ik wil er niet helemaal uitraken, misschien dat ik ooit weer volledig terug wil in dit werk. Ik neem aan dat het geen bezwaar is, als je eerst alles alleen moest doen?"
Thomas voelde zich een beetje in een hoek gedreven en besloot de kinderen te roepen. Ze kwamen wat uitdagend binnen, Nicole voorop.
,,Zo, jij bent dus de oudste. Je lijkt sprekend op je moeder als die foto goed is gelukt."
Nicole knikte. ,,Zo was mamma precies." Ze scheen er trots op te zijn dat Stefanie de vergelijking maakte.
Thomas die zich ergerde dat ze gelijk maar over Hetty begon, herzag zijn mening. Misschien was het wel goed dat ze het moeilijke onderwerp niet omzeilde.
Toen kwam Jasper. Hij hield beide handen op zijn rug. ,,U zit in mamma's stoel," zei hij fel
Thomas had hem nooit zo heftig horen uitvaren tegen iemand die hij niet kende.
Stefanie maakte niet direct aanstalten om op te staan. ,,Zat je mamma hier altijd? Wil je niet dat het stoeltje ooit nog door iemand wordt gebruikt? Er zijn hier veel dingen waar je moeder gebruik van maakte, denk ik. Als je naar dat alles nooit meer omkijkt, komt alles onder het stof, wordt de boel verwaarloosd. Dat zou je moeder vast niet willen. Ik denk eigenlijk dat zij er geen enkel bezwaar tegen zou maken als de voorwerpen waar zij aan gehecht was, door iedereen worden gebruikt."
,,Dat kun jij niet weten."
Stefanie stond op. ,,Misschien heb je ook wel gelijk. Ik weet niet alles. Ik ben van mening dat jouw mamma het niet erg zou vinden dat ik in haar stoel zit, maar als jij het niet leuk vindt, ga ik gewoon ergens anders zitten. Daar op de bank dan maar. Vind je dat goed?"
Jasper gaf geen antwoord en ging demonstratief achter het stoeltje staan, zijn handen op de rugleuning.
Stefanie negeerde hem verder, praatte wat met Nicole en later weer met Thomas. Ze zei hem dat ze haar kamer in elk geval voorlopig wilde aanhouden. Thomas ging er niet op in. Eigenlijk wilde hij dat ze nu wegging zodat hij kon nadenken.

Na haar tweede kopje koffie stond ze op. In de gang keek ze naar de felgekleurde regenjas. ,,Dit huis is nog steeds van je vrouw, is het niet? Geen thuis voor jou en je kinderen, maar het domein van je vrouw."
,,Waar zij was, ís ons thuis," antwoordde Thomas koel.
Ze schudde haar hoofd. ,,Arme man." Bij de deur keek ze hem aan. ,,Je weet mijn telefoonnummer. Laat je wel binnen een week iets van je horen?"
Daarop stapte ze de regen weer in. Even keek Thomas haar na. Zo'n vrouw zou hij niet om zich heen kunnen hebben. Zo heel anders dan Hetty. Hij streek zich over het voorhoofd. Wat maakte het eigenlijk uit? Hij wilde immers geen tweede Hetty. Als deze Stefanie bij hem in huis was, hoefde hij niet bang te zijn dat de zaak uit de hand zou lopen. Maar als er een tengere blonde vrouw in de kamer rondliep, uit de badkamer kwam, met de kinderen bezig was, wie weet wat er dan in hem zou varen op den duur. O, geen liefde, zeker geen liefde, maar wel de behoefte zo'n vrouw aan te raken, haar... Lieve help, waar dácht hij aan?
,,U moet die andere nemen." Jasper stond nog steeds achter het stoeltje.
,,Waarom, Jasper? Omdat ze een beetje op mamma lijkt?"
,,Zíj ging tenminste niet in deze stoel zitten. Deze is kattig."
Andrea was inderdaad uiterst voorzichtig geweest in hetgeen ze zei of deed.
,,Wat denk jij, Nicole?"
,,Ik weet het niet. Liever wil ik helemaal niemand. Maar deze was erg eerlijk."
Daarin had zijn dochter gelijk. Stefanie leek volkomen zichzelf te zijn en ze nam geen blad voor de mond. Ze maakte een evenwichtige indruk, had waarschijnlijk gevoel voor humor. Maar zoals ze gezegd had: 'Arme man'... Nee!
Uiteindelijk besloot hij tot een definitieve afspraak met Andrea. Toen hij haar belde en zijn naam zei, scheen ze even te moeten nadenken.
,,Thomas? Ach ja, met die kinderen. Ik ben inmiddels wel met iets anders bezig waar ik meer zal verdienen. We kunnen overigens wel een afspraak maken om ergens te gaan eten."
,,Misschien bel ik je daar nog over," maakte Thomas zich ervanaf.

Hij had geen enkele behoefte met Andrea te gaan eten. Hij wilde iemand in huis om voor hem en de kinderen te zorgen. Hij begreep dat hij wat water bij de wijn zou moeten doen. Hij deed maar het beste zijn eigen anti-gevoelens te negeren. Wat deed het ertoe, het zou toch nooit meer echt goed worden.
Uiteindelijk belde hij Stefanie voor een andere afspraak om alles nog eens goed door te spreken. Zíj wist in elk geval onmiddellijk met wie ze te doen had.
,,Werd ik goedgekeurd? Zelfs door je zoon? Of was er geen andere mogelijkheid?"
Hij ergerde zich alweer aan haar licht ironische toon.
,,Goed, het lijkt me inderdaad verstandig elkaar ergens te ontmoeten zonder dat de kinderen erbij zijn," nam ze het initiatief van hem over. ,,Wanneer kun je dat regelen?"
Het viel hem in elk geval mee dat ze eraan dacht dat hij iets moest regelen om een afspraak te maken. Ze spraken af in een klein restaurant dat was gevestigd in een van de grachtenpanden.
Hij was er iets eerder, zijn ogen bleven onafgebroken op de deur gericht. Toen ze binnenkwam, kreeg hij een schok. Ze zag er zo heel anders uit dan hij zich herinnerde. Het donkere haar hing los op haar schouders, ze droeg een wijde rode blouse en een zeer strakke rok. Hij betrapte zich erop dat zijn ogen naar haar benen gingen. Ze scheen zich zonder enige moeite voort te bewegen op die belachelijk hoge hakken. Toen ze naar zijn tafel kwam, waren er verschillende mannen die haar nakeken. Ze stak hem haar hand toe voor ze ging zitten. Nadat ze iets te drinken hadden besteld, keek hij haar aan.
,,Je ziet er heel anders uit," bracht hij zijn gedachten onder woorden.
Ze knikte. ,,Eigenlijk ben ik dit niet. Het zijn trouwens de enige wat nettere kleren die ik heb. Ik wist niet wat je verwachtte, maar ik dacht dat je een spijkerbroek niet prettig zou vinden. Ergens eten is toch een vorm van uitgaan."
Het verraste hem dat ze nu wat onzeker scheen. Het verbaasde hem nog meer dat ze dat zei van de spijkerbroek.
,,Aan de buitenkant ben je nogal... ik weet niet... een beetje een meneer," verduidelijkte ze nog.
Toen ze hun drankjes voor zich hadden, zei ze: ,,Ik had eerst willen weigeren. Maar dan zag ik weer dat ongelukkige kind, je

zoon; je dochter die vrolijk zou moeten zijn en ik dacht aan jou, nog steeds volkomen uit je evenwicht. Ik peinsde over jullie verdrietige chaotische leven en ik dacht: misschien kan ik iets doen."
,,Dat is aardig van je," mompelde Thomas, niet helemaal op zijn gemak omdat ze zo duidelijk zei waar het op stond.
,,Het is niet zonder meer aardig bedoeld, dan wel om een taak te hebben die meer bevrediging geeft dan het werk dat ik nu doe."
,,Denk je dat je het aankunt?"
Ze wachtte even met antwoord geven tot de ober het voorgerecht had neergezet. Dan keek ze hem aan en hij zag dat haar ogen heel donkerbruin waren. ,,Ik weet het niet. Eerlijk gezegd betwijfel ik het. Dat is dan ook één van de redenen dat ik gedeeltelijk blijf werken."
Hij waardeerde haar eerlijkheid, maar toch had hij liever gehad dat ze wat zekerder van haar zaak was. Tijdens het eten vertelde ze hem het een en ander over haar werk in het ziekenhuis en ook over de man waar ze enkele jaren een relatie mee had gehad, tot ze tot de ontdekking kwam dat hij een gezin had.
,,Wilde hij niet scheiden?" vroeg Thomas.
,,Nee, hij wilde ons alletwee. Bij nader inzien was zijn huwelijk zo slecht niet. Lieve help, wat heb ik me ellendig gevoeld. Ik maakte een soort rouwperiode door, weet je dat."
Ze zweeg toen ze Thomas' gezicht zag, maar niet voor lang. ,,Als je iemand verliest waar je van houdt, maakt het immers niet uit hoe dat gebeurt. Het feit blijft hetzelfde, je bent weer alleen."
,,Er lijkt me toch een wezenlijk verschil," zei Thomas stijfjes. ,,Niets is immers zo onherroepelijk als de dood. Daarbij, je schijnt hem nog steeds tegen te komen. Hij is niet voorgoed..." Hij zweeg.
,,Jíj hebt tenminste mooie herinneringen. Jij hoeft niet te denken dat alle liefde een leugen was."
,,Zullen we ophouden met vergelijkingen te maken? Dit heeft namelijk geen enkele zin."
Stefanie zei niets meer. Ze aten zwijgend verder, beiden met hun gedachten ergens anders.
,,Wil je ijs als dessert? Of koffie?" vroeg hij later.
,,Koffie graag." Ze schoof haar stoel wat achteruit, haar hand

lag op de tafel. Een smalle hand met lange vingers. Hij dacht aan Hetty's kleine blanke hand met de beschaafd gelakte nagels. Stefanies nagels waren in een felle kleur gelakt en ze droeg een opvallende smeedijzeren ring. Hij zuchtte, zonder dat hij het zelf wist.
Ze glimlachte plotseling naar hem. ,,Het valt niet mee, hè? Luister, we kunnen een proeftijd afspreken van drie maanden. Is dat goed? Dan kunnen we er alletwee vanaf."
Thomas knikte. Hij vond dit inderdaad een veilige gedachte, want hij kon zich nog steeds niet voorstellen dat hij het prettig zou vinden: deze jonge vrouw in zijn huis, voor een deel toch op Hetty's plaats, naar zijn gevoel. Mijn hemel, waar begon hij aan?
,,Waarom koos je uiteindelijk voor mij?" vroeg Stefanie dan. ,,Ik had namelijk niet de indruk dat ik zo'n succes was in je huis en bij je kinderen."
Thomas vertelde haar nu van de brieven die hij had gekregen en dat er uiteindelijk twee kandidaten waren overgebleven. ,,Die andere was een blondje, klein en tenger... Zij deed mij aan mijn vrouw denken. Jasper wilde graag dat zij kwam, maar ze was intussen al met iemand anders in zee gegaan."
Stefanie keek hem met half dichtgeknepen ogen aan. ,,Het zou bijzonder onverstandig zijn als je een duplicaat van je vrouw in huis neerzette. De verwachting van je kinderen zou dan absoluut op een teleurstelling uitlopen. Van mij verwachtte je dus niet veel?"
Tegen wil en dank voelde Thomas dat hij het warm kreeg.
,,Nee, spreek me maar niet tegen. Ik houd van eerlijkheid."
Hij sprak haar niet tegen. Eigenlijk vond hij het een bevrijdende gedachte dat ze nu wist dat hij niet verwachtte dat dit een succes zou worden.

HOOFDSTUK 3

Stefanie schoof met haar bord aan de tafel waar haar vriendin zat te roken.
Francine keek door de rook die ze uitblies af en toe naar haar,

haalde even later voor hen beiden een kop koffie. ,,Leg het me nu maar eens uit. Je hebt ontslag genomen, maar blijft wel oproepkracht heb ik begrepen. Je zou me vertellen over je andere werk en ik wil graag weten waarom je weggaat."
,,Waarom ik wegga?" Stefanie keek haar vriendin aan en deze doofde met een bruusk gebaar haar sigaret.
,,Je gaat me toch niet vertellen dat het om hém is. Om Richard? Lieve Stef, hij is altijd bijzonder aardig tegen je en..."
,,Daarom juist, Frans, daarom juist. Ik hield van Richard toen ik dat allemaal over hem te weten kwam. Ik dacht een korte periode dat ik hem haatte. Maar zo werkt het blijkbaar niet. Hij hoeft weinig moeite te doen of hij heeft me weer zover."
,,Jullie zijn al een jaar uit elkaar."
,,Ik zie hem te vaak en ik heb de indruk dat hij tegenwoordig weer veel moeite doet om mij tegen te komen. Ik wil niet opnieuw in zo'n uitzichtloze situatie verzeild raken."
,,Dat heb je toch zeker zelf in de hand."
Stefanie zei niets. Misschien kon Francine niet begrijpen hoe het was van iemand te houden. Misschien wist ze echt niet dat verstandig redeneren dan weinig hielp, omdat er alleen gevoelens meespeelden.
,,Oproepkracht," bromde Francine.
,,Niet hier. In het Wilhelminaziekenhuis."
,,Ah. Nu, ik zal je missen, meid. Vertel me over je andere werk."
Stefanie speelde met haar koffielepeltje en haalde uiteindelijk de advertentie uit haar tas.
,,Daar heb je op geschreven?" Francine sperde haar ogen wijd open in ongeloof. ,,En je bent aangenomen?"
,,Ja, maar meer omdat hij geen keus had." Ze vertelde daarop van haar bezoek aan Thomas. Ze probeerde ook uit te leggen hoe de sfeer in dat huis haar benauwd had en ze vertelde over de openlijke vijandigheid van Jasper.
,,Je wilt het proberen? Meid, waar begin je aan? Denk je echt dat je zoiets aankunt?"
,,Ik zou niet weten waarom niet," zei Stefanie plotseling weer strijdlustig. ,,Weet je, het huis is zo ingericht, opdat zij nooit vergeten. Het is nog helemaal van haar, zijn vrouw."
,,En jij wilt daar verandering in brengen?"
Stefanie maakte een afwerend gebaar. ,,Het enige wat ik in de

eerste plaats wil, is iets heel anders gaan doen en toch het gevoel hebben dat ik enigszins nuttig ben. Misschien leeft de illusie bij me dat ik dat gezin weer vrolijk kan maken. Hoewel dat nauwelijks te verwezenlijken is, zoals het er nu uitziet. Het schijnt ruim een jaar geleden te zijn dat zijn vrouw is omgekomen. Ik verwacht heus niet dat hij daar overheen is. Maar de sfeer in dat huis, zo of mamma nog ieder moment kan binnenkomen, dat kan niet goed zijn. Alles staat op dezelfde plaats als toen zij voor het laatst de deur uitging. Zelfs haar jas hangt nog aan de kapstok."
Francine fronste haar wenkbrauwen. ,,Niet iedereen is snel over zo'n ramp heen. Als het een goed huwelijk was, en zij was een fijne moeder, dan is het een catastrofe, weet je dat wel?"
,,Ik heb mijn moeder verloren toen ik zeventien was. Vader verdween al snel met een ander. Ik had daar enorme problemen mee. Ik denk dat ik wel een beetje kan begrijpen hoe moeilijk zij het hebben."
,,Heb je hem dat verteld?"
,,Ik heb hem enige informatie gegeven, hoewel ik niet weet of het doorgedrongen is. Over mezelf vertel ik zo weinig mogelijk, daar stelt niemand belang in. Ze zijn voortdurend met hun eigen ellende bezig. Kom, ik moet weer beginnen. Ik mag er deze laatste weken niet gemakkelijk over gaan denken."
Francine keek haar vriendin na. Ze liep kaarsrecht. Het donkere haar werd in een staart bijeen gehouden, zoals altijd tijdens haar werk. Stefanie zou niet gemakkelijk over haar werk gaan denken. Ze was serieus, nam tijd voor de patiënten, té veel tijd, zoals ze vaak te horen kreeg. Niet dat haar vriendin zich daar veel van aantrok. Ze vertelde het hoofd van de afdeling wat zij ervan vond en ging haar eigen gang. Stefanie was een sterke persoonlijkheid, misschien soms te eerlijk en vaak wat hard in haar oordeel.
Francine vroeg zich af of het wel verstandig was wat ze nu ging doen. Bij een weduwnaar met twee kinderen in huis! In een dergelijke situatie moest men zo omzichtig te werk gaan. En voorzichtigheid en tact waren niet Stefanies sterkste kanten. Francine drukte haar zoveelste sigaret uit en stond op. Zij zou in elk geval haar vriendin niet uit het oog verliezen.

De eerste dag dat Stefanie zou komen, was een zaterdag. Ze

hadden overlegd dat die dag het beste uitkwam in verband met het feit dat Stefanie enigszins wegwijs moest worden gemaakt. Ze stond om negen uur op de stoep.
Nicole opende de deur, beantwoordde haar groet niet al te onvriendelijk, maar lette goed op waar ze haar jas hing.
Stefanie ving de blik van het kind op. ,,Die jas is zeker van je mamma geweest?" vroeg ze, vastbesloten dit taboe maar gelijk te doorbreken.
Nicole knikte. ,,Je mag hem niet passen."
Stefanie haalde de wenkbrauwen op. ,,Dat was ik niet van plan."
,,Mamma had heel mooi blond haar."
Aan de toon waarop ze dit zei, hoorde Stefanie dat het meisje donker haar niet bepaald prefereerde. ,,Vertel me eens waar je vader is."
,,Hij is aan 't strijken in de slaapkamer."
,,Zo, je bent er al." Thomas hing zorgvuldig een gestreken overhemd op een haakje en zag haar blik. ,,Ja, ik heb het afgelopen jaar veel geleerd."
,,Ik denk niet dat ik het zo netjes kan," antwoordde Stefanie luchtig. Het viel haar ineens op dat Thomas er vermoeid uitzag.
,,Zal ik koffie zetten?"
,,Graag."
Stefanie verdween naar de keuken. Ze was er bijna zeker van dat hij opgelucht was dat ze hem weer alleen liet. Zou hij toch stiekem denken dat ze op een relatie uit was? Het irriteerde haar. Waarom dachten mannen altijd dat het enige doel van een vrouw was, veilig getrouwd te zijn?
Ze vond alles wat ze nodig had, de voorwerpen hier in huis hadden duidelijk een vaste, logische plaats.
De keukendeur kierde zachtjes open en Nicole kwam binnen.
,,Pappa zei dat je hier was. Waarom kwam je op zaterdag?"
,,Waarom niet? Het is prettig als je vader ook thuis is."
,,Waarom wilde je hem zo graag zien?"
Stefanie keek het meisje enigszins verbluft aan. Nu moest het niet gekker worden. ,,Het leek me gemakkelijker voor als ik dingen wilde vragen," zei ze tamelijk kortaf.
Nicole schoof een stoel bij de keukentafel en keek even zwijgend naar haar bezigheden. ,,Op zaterdag gebruiken we altijd andere kopjes."

Stefanies hand aarzelde boven het blad, maar in gedachten schudde ze het hoofd. ,,Vandaag gebruiken we deze."
,,Ben jij hier de baas?"
Stefanie haalde diep adem. Als ze in het eerste uur al haar geduld verloor, was ze duidelijk ongeschikt voor haar taak. ,,Op dit moment ben ik degene die koffie zet en ik doe het op mijn eigen manier."
,,Ga je appeltaart bakken?" was Nicoles volgende vraag.
,,Lieve help. Nee, ik bak nooit. Haal maar iets lekkers bij de bakker aan het eind van de gracht."
Nicole scheen te willen protesteren, maar waarschijnlijk was de verleiding toch te groot. Ze gleed van haar stoel en nam het geld aan.
,,Kom me nou niet met enorme slagroomsoezen aandragen. Iets met vruchten lijkt me beter."
Nicole holde de deur uit.
Stefanie besloot melk en suiker mee te nemen naar de kamer. De kinderen moesten maar melk drinken. Thomas zat in de erker, het raam stond op een kiertje. De tuin begon al een groen waas te krijgen, alles was vroeg na deze zachte winter.
,,Waar is je zoon eigenlijk?"
,,Hij weigert beneden te komen. Laat hem maar betijen."
,,Ik heb Nicole om iets lekkers gestuurd. Als hij dat weet, komt hij vast wel."
Thomas zuchtte. ,,Vergis je niet. Zo klein als hij is, kan hij bijzonder koppig zijn. Goeie koffie trouwens."
Stefanie ergerde zich aan zichzelf dat dit compliment haar goed deed. Thomas begon haar nu te vertellen hoe alles reilde en zeilde. Stefanie verbaasde zich dat alles zo op rolletjes scheen te lopen. Behalve dan het koken, dat bleek er nogal eens bij in te schieten. Thomas vertelde ook dat hij in de regel op zaterdag het hele huis deed.
,,Zo heb je nooit een dag vrij."
,,Het begint me dan ook aardig op te breken." Ze hoorden de voordeur dichtslaan en even later Nicole die onder aan de trap haar broertje riep. Er klonk gebonk op de trap.
Jasper was duidelijk onwillig en boos. Hij bleef in de deuropening staan, zijn stuurse blik van de een naar de ander en toen naar de abrikozengebakjes op tafel. ,,Is er soms feest?"
,,Het hoeft niet altijd feest te zijn om iets lekkers te eten." Ste-

fanie keek naar het kind dat langzaam binnenschuifelde, onwillig en dwars, maar toch aangetrokken door het gebak. Hij ging op een stoel zitten, zover mogelijk bij haar vandaan. Zijn vader schoof hem een gebakje toe.
,,Heb jij die zelf gemaakt?"
Stefanie zuchtte in zichzelf. ,,Nee, Jasper, ze komen van de bakker. Denk je dat ze daarom minder lekker zijn?"
Het kind antwoordde daar niet op. Het korte steile haar stond rechtovereind en er was een rimpel boven zijn neus. ,,Blijf je de hele dag?"
,,Stefanie blijft tot na het avondeten," antwoordde zijn vader voor haar. ,,Als het je niet bevalt, is dat erg vervelend voor je. We hebben het er uitgebreid over gehad, weet je nog wel? Je zult nu de situatie moeten accepteren zoals hij is, Jasper. Er zit echt niets anders op."
Het kind schoof het half opgegeten gebakje van zich af, schopte zijn stoel achteruit en verdween stampend naar boven.
Even later volgde Nicole.
,,Het kon wel eens erg moeilijk voor je worden. Ik hoop dat ze aan je wennen," zuchtte Thomas.
,,Ik denk dat het belangrijkste is dat jij accepteert dat ik hier ben. Jullie zullen ook moeten aanvaarden dat niet alles kan blijven zoals toen je vrouw nog leefde. Ik zag je wel kijken naar het serveerblad. Ik hoorde van Nicole dat jullie het anders gewend zijn. Maar ik wil de dingen doen zoals ze mij het handigst lijken."
,,Het is voor ons allemaal zo moeilijk. Iemand die niet zo'n verlies heeft geleden kan het onmogelijk begrijpen. We hadden een prima huwelijk. Hetty was..."
,,Volmaakt," vulde Stefanie ongewild aan. ,,Neem me niet kwalijk, maar heel dit huis ademt een sfeer van perfectie. Jij hebt dat zo willen houden en daarbij ook nog je baan, dat moest wel mis gaan. Het ging ten koste van aandacht voor je kinderen en aandacht voor je gezondheid."
Toen Thomas niet antwoordde, stond ze op en begon de tafel af te ruimen.

Al na twee weken wist Stefanie dat ze het niet zou redden. Zij dacht dit niet alleen, Thomas was dezelfde mening toegedaan. Hij ergerde zich aan het feit dat alles in huis langzaam verander-

de. Een stoel stond plotseling op een andere plaats, de wasmachine draaide op de vreemdste tijden. Soms hing de was in de zon te drogen, maar als er enkele uren later een regenbui neerplensde, hing deze er nog. Stefanie had de gewoonte kleren over een stoel te gooien en deze dan te vergeten. Regelmatig liet ze de afwas staan omdat ze geen zin had. Thomas was dergelijk, in zijn ogen onordelijk gedrag nooit gewend geweest. Na het avondeten verdween Stefanie naar haar eigen kamer aan de andere kant van de stad. Het was al enkele malen voorgekomen dat ze de dag daarop niet kwam opdagen omdat ze was opgeroepen en hem niet meer kon bereiken.
Nicole hield zich op een afstand, terwijl Jasper haar negeerde en haar vaak met kleinigheden dwarszat. Als zijn vader hem daarover ter verantwoording riep, zei Jasper steevast: ,,Ik wil dat ze weggaat."
Door dit alles was Thomas op school niet met zijn gedachten bij zijn werk en kreeg hij nog meer moeite de orde in zijn klas te bewaren.
Op een avond toen Stefanie al was vertrokken, werd er gebeld. Hij herkende de jonge vrouw die op de stoep stond onmiddellijk. Andrea, degene die voor hém en voor Jasper eerste keus was geweest.
,,Ik kwam eens kijken hoe het hier gaat. Ik moet zo vaak aan jullie denken."
Thomas liet haar binnen, toch wel verrast door deze aandacht. Toen ze eenmaal zaten, hoorde hij dat die andere baan niet was doorgegaan.
,,Ik dacht, als jij nog niemand hebt, wil ik het alsnog proberen."
,,Pappa, dan sturen we Stefanie weg." Jasper had al die tijd stil in een hoekje gezeten.
Andrea schonk hem een lieve glimlach. ,,Dat kan zomaar niet."
,,Ik geloof niet dat zij het hier bijzonder naar haar zin heeft. Ik zal er met haar over praten," hoorde Thomas zichzelf zeggen.
Toen hij de dag daarop thuiskwam, vond hij Stefanie bezig de keuken te dweilen.
,,Wat ben je in vredesnaam aan het doen?"
Ze richtte zich op, haar bruine ogen vonkten en ineens viel het hem weer op dat ze bijzonder aantrekkelijk was.

,,Wat denk je? Dat vervelende joch zette het deurtje van de wasmachine open terwijl deze volop aan het draaien was."
,,Ik zal met hem praten."
,,Doe dat vooral. Praten, poeh! Ik hoor jou al redeneren met alle begrip voor zijn agressie tegenover mij. Want ik ben zijn allerliefste moeder niet, gelukkig niet. Ik weet het, het is voor het arme kind allemaal zo verdrietig. Hoe denk je dat het voor mij is, verdomme!"
,,Schreeuw niet zo. Dat zijn we hier niet gewend."
,,Het is me opgevallen dat jullie niet gewend zijn aan het uiten van gevoelens. Daarom stikken jullie er bijna in. Maar het is de laatste keer geweest, ik heb het hier wel gezien."
,,Daar wilde ik juist met je over praten," zei Thomas.
,,Dat komt dan goed uit. Direct dan maar."
Thomas wilde zeggen dat ze gerust eerst haar werk kon afmaken, maar hield zich in. Toen ze tegenover hem zat, viel het licht op haar gezichtje en ineens viel het hem op dat ze er vermoeid uitzag. Dat deed hem zeggen: ,,Het wordt voor jou ook te veel, is het niet? Het is ook geen goede regeling. Jij woont ergens anders, je werkt minimaal één dag in de week in het ziekenhuis. We zien elkaar soms enkele dagen niet, kunnen weinig overleggen. Daarbij heb ik niet de indruk dat je met de kinderen overweg kunt."
,,Waarom zeg je niet gewoon dat wij elkaar niet liggen. Ik hoorde dat die ander is geweest, zij die op je vrouw lijkt. Goed, probeer het met haar. Maak van je huis een gewijde tempel ter nagedachtenis aan je vrouw. Ik ga nu." Ze stond op en hij ook.
,,Stefanie, ik wilde niet..." Tot zijn eigen verbazing kreeg hij ineens het gevoel dat hij haar moest tegenhouden. Ze zag er zo kwetsbaar en tegelijk opstandig uit. Dan dacht hij weer aan haar laatste opmerking. Een gewijde tempel! Hoe durfde ze? Ze had werkelijk geen greintje tact.
Na een koel afscheid trok ze de deur achter zich dicht en Thomas wist niet of hij zich opgelucht voelde.
Langzaam liep hij de trap op. Hij nam aan dat de kinderen blij zouden zijn met deze beslissing. Nicole was op haar kamer, ze legde het tijdschrift opzij en keek hem afwachtend aan.
,,Stefanie is weg." ,,Waarom? Bedoel je voorgoed? Zeker omdat Jasper haar plaagde. Nou, ik begrijp dat ze het hier niet leuk vond. Nu is er dus weer niemand."

Thomas vertelde haar van Andrea, maar zijn dochter leek niet onder de indruk.
,,Stefanie was best aardig, je kon met haar lachen. Stomme Jasper. We weten helemaal niet of die ander wel aardig is. Ik vind het stom."
Een beetje onthutst keek Thomas naar zijn dochter. ,,Je hebt mij helemaal nooit gezegd dat je Stefanie aardig vond."
,,Je hebt het nooit gevraagd. Ze was in elk geval leuker dan die andere vrouwen die hier zijn geweest. Maar Jasper... Jasper zegt steeds: 'Ze is mamma niet'. Maar niemand is mamma..."Haar ogen liepen plotseling vol tranen.
Thomas strekte zijn hand naar haar uit, maar ze wendde zich af.
,,Ik wil niet dat er iemand komt die op mamma lijkt, iemand die jij aardig vindt."
Ze was erg verdrietig omdat Stefanie weg was, dacht Thomas. Waarom had hij helemaal niet gemerkt dat de jonge vrouw en zijn dochter elkaar wel mochten?
,,Ben je van plan met die andere te gaan trouwen?" vroeg Nicole met een klein stemmetje.
,,Natuurlijk niet. Waarom zou ik?"
,,Omdat ze op mamma lijkt. Ik was niet bang dat je met Stefanie zou trouwen. Zij is zo heel anders dan mamma. Jij vond haar niet leuk."
Dat was wel wat sterk uitgedrukt, vond Thomas. Hij kon zich heel goed voorstellen dat veel mannen Stefanie juist bijzonder leuk vonden. Zij was een pittig persoontje. Dergelijke vrouwen had hij nooit in zijn omgeving gehad, daardoor had hij heel erg aan haar moeten wennen. Neem nou vandaag. Hetty werd zelden kwaad en haar stem verheffen deed ze nooit.
,,Ik ga met niemand trouwen," zei hij nog eens ten overvloede. Daarna liet hij Nicole alleen om Andrea te gaan bellen. Terwijl hij een uur geleden nog van mening was dat dit de beste oplossing was, voelde hij zich nu onzeker. Had hij zich toch te veel door Jasper laten beïnvloeden?
Andrea bleek binnen een week te kunnen komen. Toen ze enige tijd terug zeker was van die andere baan had ze al opgezegd. Thomas had haar niet gevraagd waarom dat andere werk niet was doorgegaan en deed dat ook nu niet. Voor hem was het belangrijkste dat ze zo spoedig mogelijk kwam. Die avond vertelde hij ook aan Jasper dat Stefanie was vertrokken.

,,Volgende week komt Andrea. Jij was degene die graag wilde dat ze kwam. Ik hoop dat jij je nu beter zult gedragen."
Jasper keek mokkend voor zich en Thomas wist dat de problemen nog lang niet de wereld uit waren.

,,Het verwondert mij niets dat het te zwaar voor je was." Francine nam haar vriendin aandachtig op.
,,Het was niet te zwaar. Als dat joch zich behoorlijk had gedragen, had ik het zeker gered. Als zijn vader hem af en toe eens flink tot de orde had geroepen, zou het mij gelukt zijn. Het meisje werd wat toeschietelijker. Lieve help, het was een uitdaging voor mij om daar eens flink de bezem door te halen. Het leek wel een heilige plaats, dat huis, en dat heb ik hem gezegd ook. Ik kan niet anders dan eerlijk zijn."
,,O, Stefanie, hij heeft zijn vrouw verloren en de kinderen hun moeder. Je bent niet óneerlijk als je soms de waarheid voor je houdt. Of datgene wat voor jou op dat moment de waarheid is, ongezegd laat," zei Francine zachtzinnig.
,,Ik heb ook iemand verloren, maar natuurlijk beweerde hij dat dat iets heel anders is. Veel minder erg bedoelde hij."
,,Hij heeft gelijk. Richard leeft. Jij kunt hem nog zien, je kunt proberen er vrede mee te hebben. Voor dat gezin is het onherroepelijk voorbij. Misschien heb jij je wel wat te hard opgesteld."
Stefanie zuchtte. ,,Eigenlijk leek hij mij een aardige kerel onder dat masker van treurigheid."
,,Zou je het waarderen als hij alweer vrolijk door het leven stapte, op zoek naar een andere vrouw?" vroeg Francine nieuwsgierig.
,,Nee, je hebt gelijk. Misschien ben ik wel jaloers op de trouw van deze Thomas. Ik zou niet hebben geloofd dat zoiets bestond als ik het niet met mijn eigen ogen had gezien."
,,Je bent verbitterd, Stef. En nu? Ga je weer volledig in het ziekenhuis werken?"
,,Op het moment houd ik me wat meer beschikbaar als oproepkracht. Verder zal ik de afgelopen weken maar beschouwen als een les in sociale vaardigheid."

Thomas haastte zich die dag uit school naar huis. Vandaag was Andrea's eerste dag en hij was toch wat gespannen. Ook zij had

overigens haar kamer aangehouden, maar ze woonde dichterbij dan Stefanie en had er geen andere baan bij. Het was de laatste week een puinhoop geworden in zijn huis, behalve dan in de kamer die hij zoveel mogelijk netjes probeerde te houden. Om geen rommel te maken, aten ze dagelijks in de keuken, zeer tot ongenoegen van de kinderen.
Hij hield echter al rekening genoeg met hen en had het daarbij buitensporig druk. Op school waren er vergaderingen en ouderavonden in verband met de komende paasrapporten. Zoals altijd liep hij naar huis om nog een beetje frisse lucht te hebben. Het was een mooie dag. Er hing iets van voorjaar in de lucht. Dit werd de tweede lente en zomer zonder Hetty. Soms dacht hij dat hij in de kerstvakantie en de daaropvolgende wintermaanden het dieptepunt wel had bereikt. Maar hij wist ook dat het gemis nooit meer opgevuld kon worden. Er waren mannen die in zo'n geval uit bittere noodzaak een vrouw zochten. Maar zoiets zou niet eerlijk zijn tegenover de desbetreffende vrouw, zo er al iemand was die met een weduwnaar met twee kinderen in zee wilde gaan. Hij hoopte nu maar dat hij met Andrea een goede keus had gedaan.
Even later stak hij de sleutel in het slot, hoorde de muziek al vóór hij de deur open had: De Boléro van Ravel. Dus ze had de collectie c.d.'s bestudeerd. Waarom juist de Boléro, muziek waar Hetty een uitgesproken hekel aan had? Ach, zoiets kon Andrea niet weten.
Ze zat in de erker een sigaret te roken, het blonde haar hing los en ze leek in niets op Hetty. Vliegensvlug stond ze op. ,,Ben je daar al? Wil je iets drinken? Sherry?"
,,Dat is niet zo mijn gewoonte," aarzelde Thomas.
,,Vind je het goed dat ik een glas drink?"
Eigenlijk vond Thomas dat níet goed, maar hij zei het niet. Hij wilde niet krenterig lijken. Hetty en hij dronken alleen iets bij speciale gelegenheden, maar ze hadden vrienden bij wie een glas voor het eten een vaste gewoonte was geworden.
,,Heb je alles kunnen vinden vandaag?" De wijnvoorraad in de kelder onder het huis had ze in elk geval snel gevonden, dus met de rest zou ze ook wel geen moeite hebben gehad, dacht Thomas ironisch.
,,Ik heb gezien dat je alles van je vrouw hebt bewaard. Ook haar kleren en make-up."

Thomas zag in gedachten Andrea bezig met het snuffelen in de kasten en in de laden van de kaptafel en kreeg een onbehaaglijk gevoel. Andrea scheen dat aan te voelen, want ze zette haar glas neer en begon enigszins nerveus te vertellen wat ze zoal gedaan had. Maar Thomas vond het belangrijkste dat ze er was toen de kinderen uit school kwamen.
,,Ik zat op hen te wachten maar het meisje verdween direct naar boven. Jasper heeft een glas limonade gedronken."
,,Het is beter hen melk te laten drinken," zei Thomas automatisch.
,,Dat zei ik ook tegen hem, maar hij wilde niet en toen dacht ik: ach, hij is toch maar een zielig joch zonder moeder."
Thomas opende zijn mond om te zeggen dat dit zeker niet de juiste houding was. Dat Jasper op deze manier hopeloos verwend zou worden, maar op hetzelfde moment begreep hij dat het geen zin had. Jasper zou de situatie zeker uitbuiten en hij kon daar weinig tegen doen als Andrea zich daarvoor liet gebruiken.
,,Nu ga ik naar mijn kamer, ik moet nog een en ander nakijken. We zijn gewend omstreeks half zeven te eten."
,,Nou, dan zal ik maar eens boodschappen halen. Zou het meisje mee willen?"
Hij haalde zijn schouders op, vroeg zich af waarom ze de boodschappen niet eerder had gehaald. Om deze tijd zou het druk zijn in de winkels. Aan de andere kant moest hij haar vrijlaten. Ze moest zelf weten hoe ze haar tijd indeelde.
Hij tikte op de kamerdeur van zijn dochter en opende deze.
,,Andrea vraagt of je meegaat boodschappen doen."
Nicole schudde heftig haar hoofd. ,,Laat Jasper maar meegaan. Die vindt haar leuk."
Met een lichte zucht verdween Thomas in zijn kamer en ging achter zijn bureau zitten. Hij nam een stapeltje proefwerken uit zijn tas en keek even naar de grote foto van zijn vrouw die vlak bij hem stond. Hij dacht eraan hoe hij altijd samen met haar theedronk, waarbij ze elkaar over en weer hun ervaringen van die dag vertelden. Hij over school en zij over de crèche waar ze enkele morgens werkte. Vaak waren het grappige voorvallen die ze hem vertelde, waarbij haar intens blauwe ogen hem tegemoet straalden. Daarna ging hij tot het eten naar boven en de avonden waren meestal voor hen samen. Soms was er een op-

pas en dan bezochten ze een theatervoorstelling of een film. Maar vaak ook bleven ze thuis. Thomas wreef zich over het voorhoofd, maar de herinneringen bleven hem door zijn hoofd spoken als een zwerm lastige muggen.
Het was al over zevenen toen Nicole hem kwam roepen om te eten. Hij wist niet wat hij had verwacht, maar toch iets beters dan dit kleffe stamppotje van aardappelen met andijvie. Hij zei er echter niets van, maar Nicole schoof haar bord van zich af.
,,Dit lust ik niet."
Andrea begon zich onmiddellijk te verdedigen. ,,Het is ook niet mijn favoriete kost. Maar ik wilde het gemakkelijk maken en dacht ik haal wel een diepvriesmaaltijd. Toen bleek dat jullie niet eens een magnetron hebben. Zonder dat kan ik niets van de maaltijden maken."
,,Kun je niet gewoon op het gas koken?" Nicole was echt verbaasd.
,,Ik houd niet van koken."
,,Ik vind dit echt niet lekker." Nicole griezelde overdreven.
,,Dan laat je het staan. Iets anders is er niet. Je vader zette jullie zeker altijd frites en pannekoeken voor. Wil je een glas wijn, Thomas?"
Hij fronste zijn wenkbrauwen maar liet haar toch begaan toen ze een glas rode wijn voor hem inschonk. Waarschijnlijk was hij niet modern genoeg. Dergelijke gewoonten waren bij veel mensen toch ingeburgerd.
Toen hij die avond met de kinderen een ommetje maakte, kocht hij inderdaad een zak frites voor hen, met het hopeloze gevoel dat het leven nooit meer echt goed zou worden. Dat hij nooit meer een leven zou krijgen dat boven een simpel bestaan uitreikte. Een leven waarbij het om méér ging dan hetgeen op tafel kwam, dat men zich schoon hield en voldoende rust nam. Hij was ervan overtuigd dat een leven dat kwaliteit had na Hetty's dood niet meer voor hem was weggelegd.

Na ruim een maand had Thomas opnieuw het gevoel dat alles uit de hand liep en hij wist niet waaraan dat precies lag. Andrea was tamelijk oppervlakkig, maar ze hield het huis redelijk schoon. Ze maakte warme maaltijden klaar die ze in de regel alledrie lustten. Jasper scheen haar te mogen, was vaak in haar buurt. Nicole daarentegen ontliep haar zoveel mogelijk.

Huishoudgeld was er nooit genoeg, terwijl er toch zelden iets extra's op tafel kwam. Echt actief was Andrea zeker niet. Als Thomas onverwachts wat vroeger thuiskwam, zat ze meestal op de bank met een tijdschrift en een glas sherry. Thomas ging vermoeden dat ze de drank niet allemaal van haar eigen geld betaalde en hij vermoedde ook dat ze meer dronk dan goed voor haar was.
Op een middag toen hij vroeg klaar was na een vergadering, besloot hij met haar te praten.
Jasper had die middag vrij. Hij had eerst op zijn kamer gezeten, niet wetend wat te gaan doen. Hoewel het beeld van zijn moeder vervaagd was en hij soms naar haar foto moest kijken om haar weer voor zich te zien, waren er herinneringen genoeg. Mamma die hem op een vrije middag meenam naar de stad om te winkelen. Hij vergat gemakshalve dat hij een gloeiende hekel had aan kleren passen, dacht alleen aan het samen ijs eten na afloop. Mamma die in de tuin bezig was en hem liet helpen, of die als ze tekende hem ook wat materiaal gaf.
Dan pappa die vrolijk uit school kwam, soms met hem stoeide en hem achterna zat door het hele huis. Pappa die hem een verhaal vertelde voor het slapen gaan. Jasper boende verwoed in zijn ogen. Hij kon het niet goed onder woorden brengen, maar soms leek het of hij mét zijn moeder, ook zijn vader had verloren.
Hij wist dat Andrea beneden was. Jasper had in het begin geprotesteerd tegen almaar vreemde vrouwen in huis. Hij wilde niemand op mamma's plaats, heel lang had hij nog gedacht dat zijn moeder terug zou komen. Soms kon hij nog niet geloven dat ze zonder een woord te zeggen van de ene dag op de andere dag uit zijn leven was verdwenen.
Toen hij Andrea voor het eerst zag, had hij heel sterk aan zijn moeder moeten denken. Maar ze leek in niets op haar, behalve dat ze ook blond was. Jasper zat op de rand van zijn bed zich af te vragen of hij naar beneden zou gaan of niet. De kans dat hij een boodschap voor haar moest doen zat er wel in. Het kon Jasper niet schelen dat ze voortdurend dorst leek te hebben, maar soms vond hij dat ze een beetje raar deed. Ze mompelde dan in zichzelf, lachte vreemd. Tegen dat zijn vader thuiskwam, dronk ze meestal enkele bekers sterke koffie en dan deed ze weer gewoon. Jasper vond het maar vreemd dat iemand voort-

durend zo'n dorst kon hebben. Landerig stond hij op en slofte de trap af. Zoals hij al had gedacht, vond hij Andrea op de bank met een glas wijn in de hand en de halflege fles binnen handbereik. Jasper stond daar even zonder dat de jonge vrouw zijn richting uitkeek. Onrustig wiebelde hij van de ene voet op de andere. Hij voelde zich alleen en ongelukkig en wilde maar één ding: aandacht. En op dit moment wist hij maar één middel om die aandacht te krijgen; hij schopte tegen de fles.
Andrea keek eindelijk op, staarde met een wazige blik van hem naar de rode wijn die over de vloer stroomde. Haar ogen werden donker. ,,Wat heb je gedaan? Waarom deed je dat, rotjong!? Je gaat direct een andere fles halen."
Jasper schudde heftig zijn hoofd. Toen kwam Andrea overeind en schudde hem woest heen en weer. Jasper had verder geen aanleiding nodig om in tranen uit te barsten. Hij brulde al zijn verdriet en ellende eruit. Het geluid dat hij maakte, stond in geen verhouding tot de lichamelijke pijn die hij voelde.
Het was op dat moment dat zijn vader de deur opende en verbijsterd naar het toneeltje keek.
Andrea liet het kind abrupt los, verloor haar evenwicht en kwam met een plof op de vloer terecht, trok haastig haar voeten op toen ze midden in de plas wijn trapte, die nog steeds over het parket vloeide. Ze krabbelde overeind en pakte het tijdschrift weer op. ,,Ik las juist een verhaal over een poesmooie juffrouw die werd afgevoerd door een zeer indrukwekkende man." Ze giechelde. ,,Jij bent ook indrukwekkend als je zo kwaad kijkt, weet je dat?"
,,Houd je mond," beet Thomas haar toe. ,,Ik wilde met je praten, maar nu is er geen zinnig woord met je te wisselen. Ik zal eerst koffie zetten."
,,Je denkt toch zeker niet dat ik dronken ben," mompelde Andrea en probeerde hem vervolgens strak aan te kijken, waarbij ze zo enorm haar best deed dat ze twee mannen als Thomas in haar blikveld kreeg.
Thomas keek naar haar en wist met rampzalige zekerheid dat ook deze zogenaamde oplossing aan een eind was gekomen.
Hij verdween naar de keuken met Jasper op zijn hielen.
Toen hij terugkwam met de koffie was Andrea bezig de vloer te deppen met een badhanddoek. Het blonde haar piekte voor haar gezicht, haar handen beefden.

,,Ik zit hier voor gek,'' prevelde ze naar hem opkijkend.
,,Sta dan op en drink je koffie,'' raadde hij niet onvriendelijk.
Ze dronk langzaam de beker leeg. Haar stem klonk weer helemaal normaal toen ze zei: ,,Ik moet hier weg natuurlijk. Het zoveelste baantje.''
,,Waarom drink je zoveel?'' Thomas voelde medelijden in zich opkomen.
,,Je weet van die abortus. Toen is de ellende begonnen. Door mijn eigen schuld kan ik geen kinderen krijgen. Daarom wilde ik mezelf opofferen in een gezin met kinderen.''
,,Wat is dat voor belachelijke gedachtenkronkel?'' viel Thomas uit. ,,Je maakt jezelf kapot op deze manier.''
,,Je hebt gelijk. Ik zal teruggaan naar de kliniek. Ik kan daar altijd terugkomen, hebben ze gezegd.'' Plotseling energiek stond ze op. ,,Ik wil er echt vanaf, weet je. Dit is geen leven. Maar zo'n kuur duurt bijna een jaar. Zal ik dan weer bij je terugkomen?''
,,Probeer eerst beter te worden.''
Andrea leek plotseling een plan te hebben gemaakt. ,,Nooit heb ik voor iemand iets gedaan. Nu zal ik voor jullie proberen er vanaf te komen.''
Thomas wilde zeggen dat dit wat hem betrof niet nodig was, bedacht dan dat de genezing van een drankprobleem vaak een zeer lange weg was. Als Andrea zover kwam, was ze hem allang vergeten. Hij zou het feit onder ogen moeten zien; hij stond er weer alleen voor. Na deze ervaring had hij er echt genoeg van. Hij wilde geen vreemden meer over de vloer.

HOOFDSTUK 4

De zomervakantie begon dat jaar vroeg in hun regio en wat dat aanging, had Thomas geluk, want hij was er zeer aan toe. Op aanraden van zijn dokter besloot hij de eerste dagen veel te slapen. De kinderen waren met de trein naar zijn ouders op de Veluwe vertrokken, waar hij later ook heen zou gaan. In die paar dagen maakte hij het huis weer in orde. Na een week was zijn woning weer 'Hetty's huis', zoals hij bij zichzelf dacht.

Op een avond, enkele dagen voor hij zelf ook naar de Veluwe zou vertrekken, werd er gebeld. Thomas haastte zich niet; hij verwachtte niemand. Het zou wel een of andere collecte zijn. Het late licht viel door het glas-in-loodraampje van de voordeur en het schoot door hem heen hoe mooi Hetty dat altijd vond. Hij opende de deur en staarde naar de jonge vrouw op de stoep.
,,Ik kwam hier toevallig langs en ik dacht, even vragen hoe het nu met hen gaat. Ik vond het vervelend dat wij toen op zo'n manier uit elkaar gingen."
,,Wat aardig van je. Kom toch binnen."
Stefanie mikte haar blazer op de kapstok, wierp een vluchtige blik in de spiegel en een iets minder vluchtige op de kleurige regenjas die daar nog altijd hing. Eenmaal in de kamer, keek ze om zich heen. Haar blik ging naar de grote foto van Hetty aan de wand, naar de half afgemaakte tekening die nog altijd op de tafel in de erker lag. ,,Ik zie dat mijn opvolgster zich erbij heeft neergelegd dat dit een huis is vol relikwieën."
,,Kwam je controleren?" vroeg Thomas stijfjes.
,,Neem me niet kwalijk. Ik heb er niets mee te maken. Ik denk te weinig na voor ik iets zeg. Ik heb zo vaak aan jullie moeten denken. Jullie drieën waren zo verdrietig, zo ontredderd en ongelukkig. Ik hoop dat het nu beter gaat."
,,Dat kan ik niet zeggen. Er zijn nu eenmaal dingen die nooit meer goed komen. Trouwens, ik zorg weer overal alleen voor. Je opvolgster was niet geschikt."
,,Ach... leek ze bij nader inzien toch niet genoeg op je vrouw?"
Stefanie beet zich schuldbewust op haar lip toen ze zijn gezicht zag. Waarom zei ze die onvriendelijke harde woorden? Had ze nog steeds last van frustraties omdat het haar niet was gelukt hier orde op zaken te stellen?
,,Als je het dan weten wilt: ze dronk! Verder deed ze weinig. Een beetje stoffen, af en toe koken, maar vaak haalde ze iets kant-en-klaars. Ze heeft nu professionele hulp. Soms kan ik heel goed begrijpen dat mensen vluchten in de drank, of in iets anders. Vaak lijkt het leven een opeenvolging van dezelfde dingen. Er is weinig fleur aan."
Stefanie wilde hem niet zeggen dat hij ook geen enkele fleur meer toeliet in zijn leven. Het leek of hij bang was ooit weer te gaan lachen.
Hij vertelde haar dat het nu redelijk ging, maar dat alles na de

vakantie ongetwijfeld weer problemen zou geven. Hoewel er nu wel één keer in de week een werkster kwam. ,,Zij houdt de boel schoon, maar een thuis zoals het was, wordt het nooit meer. Wat doe jij eigenlijk?"
,,Ik werk nog steeds part-time. Ik zal nu intern in het ziekenhuis moeten gaan wonen, want mijn kamer is opgezegd. Er komt een familielid van mijn hospita in. Zoiets schijnt zomaar te kunnen. Ik heb me flink kwaad gemaakt, maar het heeft weinig geholpen."
,,Je zou hier een kamer kunnen huren." Thomas verbaasde zich erover dat hij dat er zo snel uitgooide.
,,O nee, nee. Straks denk je nog dat ik daarom langs kwam."
Thomas verwonderde zich om haar heftige reactie. Ineens leek het hem van het grootste belang dat het meisje een kamer bij hem huurde. ,,Straks denk jij nog dat ook ik er een bedoeling mee heb je dit voor te stellen, omdat ik op het moment geen hulp heb. O, ik geef toe, ik zou graag willen dat je zo af en toe eens kookte en dat jij je een enkele keer met Nicole bemoeide. Zij vervreemdt totaal van mij en ik weet niet wat ik eraan doen moet. Boven is een ruime kamer over, je kunt deze naar je eigen smaak inrichten."
,,Ik ken die kamer, hij is prima. Alleen, ik betwijfel of ik er verstandig aan zou doen. De kinderen mogen me niet."
,,Je hoeft je niet volledig voor hen in te zetten. Alleen als jij er bent, is het misschien wat gezelliger voor hen op den duur. Je hoeft geen huur te betalen."
,,Natuurlijk wel. Ik wil best koken, zelf moet ik immers ook eten en boven is geen keuken."
Na enig heen en weer gepraat stemde Stefanie uiteindelijk toe.

,,Ik weet echt niet waarom ik toegaf," zei ze later tegen Francine. ,,Er is daar nog niets veranderd."
Francine keek haar peinzend aan. ,,Zie je Richard nog wel eens?" was haar onverwachte vraag.
,,Ik... vorige week kwam ik hem tegen. We dronken samen koffie. Hij ging mee naar mijn kamer..." Stefanie stokte, beschaamd.
,,Hij bleef overnachten," vulde Francine aan. ,,O, Stef, kom je dan nooit van hem los?"
,,Toen hij wegging, zei hij... vroeg hij of hij vaker mocht ko-

men. Ik stelde de vraag hoe de situatie tussen hem en zijn vrouw was. Nu, dat bleef hetzelfde en hij was niet van plan te scheiden."
,,De schoft," mompelde Francine. ,,Hij wil zijn eigen veilige gezin houden en jou daarnaast."
,,Ik voelde me zó gebruikt. Natuurlijk heb ik geweigerd hem nog te ontmoeten, maar als hij me steeds opzoekt, is dat erg moeilijk. Hij weet waar ik woon. Hij belt gewoon naar het ziekenhuis voor mijn werktijden. Hij kon beter dood zijn, zoals Thomas' vrouw. Dan heb je geen illusies dat misschien ooit alles nog goed komt. Thomas heeft tenminste mooie herinneringen."
,,Ik zou dat niet zo tegen Thomas zeggen," zei Francine die haar vriendin goed kende.
,,Dat héb ik al gezegd. Hij raakte nogal geïrriteerd," bekende Stefanie.
Francine lachte. Aan de ene kant was het misschien wel goed dat Stefanie gewoon zichzelf bleef als ze in dat gezin kwam. Dat ze bleef zeggen hoe ze over de dingen dacht, onverbloemd en eerlijk.

Stefanie en Thomas maakten nog enkele keren een afspraak om alles goed door te praten. Ook Francine was daar een keer bij. Thomas was een beetje op zijn hoede voor deze duidelijk geëmancipeerde vrouw. Hij kon niet weten dat Francine later tegen haar vriendin zei: ,,Hij is aandoenlijk. Hij ziet er uit of hij zich nergens thuisvoelt. Hij heeft bijzonder lieve ogen, heb je dat al gezien? Ik denk dat zijn vrouw een sterke persoonlijkheid was."
,,Dat moet haast wel als je ziet hoe ze nu nog overal haar stempel op drukt."
In het laatst van de week stelde Thomas voor dat Stefanie met hem mee zou gaan naar zijn ouders. Hij gaf als reden op dat de kinderen nog van niets wisten en dat zij hen dan ook eens in een andere omgeving kon zien.
,,Maar wat zullen je ouders daarvan denken?" aarzelde Stefanie.
,,Waarom zouden ze iets anders denken dan hetgeen wij vertellen, namelijk gewoon de waarheid."
Uiteindelijk besloot Stefanie met hem mee te gaan. Het was

wel prettig enkele dagen eruit te zijn en voor Thomas scheen het van het grootste belang dat zijn kinderen zo gauw mogelijk wisten hoe de zaken ervoor stonden.
Thomas reed zelf en vertelde haar onderweg dat hij al had overwogen de auto weg te doen. Alleen, als hij in het weekend of in de vakanties naar zijn ouders ging, was het allemaal wat ingewikkelder met het openbaar vervoer. ,,Verder komen we nergens," zei hij schouderophalend.
,,Dat zou je kunnen veranderen," opperde Stefanie.
Hij ging er niet op in, vroeg naar haar werk. Ze vertelde hem een en ander uit het ziekenuis, zei hem dat ze overwoog nog enkele weken naar haar vader in Frankrijk te gaan.
,,Wij waren pas sinds enkele jaren aan buitenlandse vakanties begonnen. Eerder vond Hetty de kinderen te klein. Jasper was vijf jaar toen we voor het eerst naar Frankrijk gingen en het jaar daarop naar Zwitserland. We zouden naar Joegoslavië gaan in het jaar dat zij..."
,,Je bent vorig jaar dus ook niet met vakantie geweest?" begreep Stefanie.
Hij schudde zijn hoofd. ,,We huurden altijd een appartement. Kamperen wilde Hetty niet, hoewel er vage plannen waren een caravan aan te schaffen. Het zal er nu niet meer van komen. Wat moet je als man alleen met twee kinderen?"
,,Toch zul je op een keer weer door moeten gaan met leven," zei Stefanie zachtjes.
,,O ja? Van wie moet dat dan wel? Ze zeggen altijd: het leven gaat door. Nu, het leven misschien wel, maar ik blijkbaar niet. Het is of mijn leven is opgehouden toen Hetty verongelukte."
,,Dat zou je helemaal zelf moeten weten als je die twee kinderen niet had. Ik vraag me af wat je vrouw zou zeggen als ze wist hoe jullie nu leefden, of liever, hoe jullie als een stelletje slaapwandelaars doorgaan. Ik denk dat de kinderen heus wel verder willen leven, maar dat jij hen tegenhoudt door je eindeloze depressie."
,,Allemachtig! Weet jij wel wat het is van iemand te houden?"
,,Toevallig weet ik dat. Trouwens, je hoeft niet te stoppen met van haar te houden als je gewoon... Ach, laat ook maar."
Ze zwegen geruime tijd. Stefanie voelde zich een beetje schuldig. Wie was zij om hier een oordeel over te geven. Hoe kon zij hem vertellen hoe hij leven moest. Zij had zijn vrouw niet ge-

kend... gelukkig niet, dacht ze er vinnig achter aan. Zo'n vrouw, zo enorm aanwezig dat haar hele gezin anderhalf jaar na haar dood nog steeds als verlamd op dezelfde plaats is blijven staan.
,,We zijn er bijna. Nog even dit. Mijn verstand zegt dat je voor een deel gelijk hebt, Stefanie, maar mijn gevoel spreekt anders."
Ze keek naar hem en had het vreemde gevoel dat ze elkaar voor het eerst echt aankeken. Ineens zag ze hem zoals Francine hem had gezien: ontredderd en eenzaam, volkomen het spoor bijster.
,,Mag ik je helpen af en toe aan iets anders te denken?" vroeg ze spontaan. Ze had gelijk spijt van haar woorden toen hij antwoordde:
,,Ik denk niet dat ik er al aan toe ben. Eigenlijk wil ik alleen maar met rust worden gelaten. Kijk, deze zijweg moeten we in en dan een pad helemaal tussen de bomen door. Het is daar niet echt geplaveid voor automobilisten, maar daar is niets aan te doen. Mijn ouders wonen echt helemaal buiten. Soms praten ze erover het huis te verkopen en in het dorp te gaan wonen, omdat ze overal zo ver vandaan zitten."
Hij had weer een kans gezien de aandacht van zichzelf af te leiden, dacht Stefanie toen de auto stopte. Het was een vriendelijk uitziend huis met lage brede ramen en een romantisch strodak. In de tuin eromheen liepen enkele schapen, een hond blafte.
Toen de auto voorreed, werd de deur onmiddellijk opengegooid. Jasper rende naar buiten, maar stopte abrupt toen hij Stefanie zag. Zijn gezicht betrok.
,,Zet je schrap," bromde Thomas.
,,Wat komt zíj doen?" wendde Jasper zich tot zijn vader.
Thomas aarzelde met het antwoord. ,,Ik leg het je binnen wel uit," ontweek hij dan.
Stefanie stond nog naast de auto. ,,Wat een heerlijk oord om te wonen."
,,Ik dacht dat jij een stadsmens was."
,,Niet echt. Eens hoop ik buiten te wonen."
Nicole was inmiddels ook verschenen. Haar blik ging van haar vader naar Stefanie en terug. Ze scheen niet te weten wat ze moest zeggen.

,,Hallo, Nicole. Ik hoop dat je nog weet wie ik ben."
,,Natuurlijk weet ik dat. Jij bent Stefanie."
,,Kom, laten we naar binnen gaan. Waar zijn opa en oma?" vroeg Thomas.
,,Ze zitten op het achterterras."
Thomas liep met de beide kinderen voorop en Stefanie kreeg even de neiging om te keren en het bos in te lopen. Wat had ze hier te maken? Ze was immers duidelijk niet welkom.
,,Kom, je bent toch niet verlegen?" Thomas was blijven staan.
,,Ik heb niet de indruk dat ik met open armen wordt ontvangen."
,,Dat hadden we ook niet verwacht, wel? Ze zullen wel bijtrekken als ze horen dat je alleen een kamer bij ons huurt."
Aan de achterkant van het huis was een terras met een zitje. Een kleine gezette vrouw kwam haastig overeind. ,,Thomas, jongen, fijn dat je er bent. Wie heb je daar bij je?"
,,Dat is Stefanie, zij is..."
,,Jongen, wat ben ik blij voor je! Ik heb al die tijd gehoopt –"
,,Moeder!"
De oudere vrouw zweeg abrupt.
,,Stefanie huurt een kamer in ons huis. We hebben ruimte over en ik... het is misschien voor de kinderen beter als er af en toe een vrouw in huis is."
Zijn moeder knikte of ze er alles van begreep. ,,Gaan jullie gauw zitten. Vader is even naar het dorp. Koffie?"
Intussen gingen haar pientere bruine ogen voortdurend Stefanies richting uit. Deze begreep dat Thomas' moeder dacht dat ze een heel goede vriendin van haar zoon was en ook dat ze een eventuele vriendschap onmiddellijk toejuichte. Ze zou dit recht moeten zetten voor de vrouw bepaalde verwachtingen ging koesteren. Daarom bood ze aan met de koffie te helpen.
,,Ik ben zo blij dat Thomas jou heeft leren kennen," begon zijn moeder direct.
,,Het is niet wat u denkt. We willen geen van beiden een relatie beginnen."
,,Wie heeft het daarover? Maar wat niet is, kan komen. Het is juist zo fijn dat tegenwoordig vriendschap tussen mannen en vrouwen mogelijk is."
Stefanie wilde haar optimisme niet de grond in boren door te zeggen dat er ook van vriendschap geen sprake was.

,,Thomas heeft het zo moeilijk. Ik ben al blij dat hij eindelijk weer belangstelling heeft voor een andere vrouw."
,,Heus, u moet u niets in uw hoofd halen. Ik heb pas een relatie achter de rug en ben daar nog niet overheen. Daarbij, Thomas en ik vinden elkaar nauwelijks aardig," zei Stefanie ten einde raad.
,,Dat kan ik niet geloven. Weet Thomas van die ander?"
,,Natuurlijk. Het interesseert hem trouwens niet. U moet er toch van op de hoogte zijn dat voor hem alleen Hetty belangrijk is. Nog altijd."
Zijn moeder keek haar niet aan. Ze schonk koffie in de kopjes.
,,Natuurlijk weet ik dat, ik respecteer het ook. Hetty was een perfecte vrouw en moeder. Maar ik zou graag willen dat Thomas ging inzien dat een beetje minder ook goed is. Misschien zelfs beter voor zijn eigen persoonlijkheid. Maar goed, we wachten maar af. Daar komt vader." Er klonk duidelijk opluchting in haar stem, blijkbaar wist ze niet zo goed raad met de situatie.
De man was een ouder evenbeeld van Thomas. ,,Wel, wel, wie hebben we daar?"
,,Zij huurt een kamer in Thomas' huis," antwoordde zijn vrouw snel.
,,Zo, zo, dat is gezellig voor Thomas en de kinderen."
,,Je moet ons oude mensen maar niet kwalijk nemen," mompelde de vrouw nog voor ze de keuken verliet. ,,Ook ouderen mogen hun dromen dromen. Ik zou die jongen zo graag weer gelukkig zien." Door die laatste opmerking vergaf Stefanie haar op slag haar bemoeizucht.
Buiten heerste een ontspannen sfeer. Hun opa vertelde de kinderen een en ander over de dieren die in het bos leefden, noemde de namen van allerlei vogels die zich tot vlak bij hen waagden.
,,Hebben jullie nooit huisdieren gehad?" vroeg Stefanie.
,,Nee. Hetty hield er niet van."
Er viel even een ongemakkelijke stilte. ,,Het is ook zeker niet ideaal, een huisdier in de stad," redde Thomas' vader de situatie.
,,Gezien het aantal honden dat in de stad loopt, denken velen daar anders over," zei Stefanie schouderophalend.
,,Heb jij wel een hond gehad?" wendde Nicole zich tot haar.

,,Vroeger wel. Mijn ouders hadden zowel een hond als twee katten. Zij wonen nu in Frankrijk. Ik ga er nog enkele weken heen. Je mag wel mee als je wilt.''
De gedachte kwam ineens bij haar op en even zag ze Nicoles ogen oplichten, dan wendde ze zich af. ,,Dat meen je toch niet.''
,,Natuurlijk wel, anders zou ik het niet zeggen.''
,,Wel, wel, wat zeg je daarvan, Nicole? Je vader was erg verstandig om deze jongedame in huis te halen, vind je niet?''
Misschien had haar grootvader dit niet op deze manier moeten zeggen. In elk geval verstrakte Nicoles gezicht plotseling. ,,Ik vind het helemaal niet leuk dat er iemand bij ons in huis komt wonen. Ik ga natuurlijk niet mee naar Frankrijk. Van mamma mocht ik nooit met vreemden mee.''
Ze stond plotseling op en verdween om de hoek van het huis.
,,Ze zijn alletwee ontzettend bang dat iemand de plaats van Hetty zal innemen,'' zei Thomas met een vlugge blik op Jasper. ,,Ik weet niet hoe ze op die gedachte komen.''
Stefanie schoof haar stoel achteruit. ,,Ik ga een eindje lopen.'' Ze had ineens het gevoel dat Thomas met zijn ouders wilde praten en dat zij hen daarbij in de weg stond. Niemand protesteerde en langzaam liep ze de tegenovergestelde richting die Nicole had genomen. Het laatste wat ze wilde, was dat opstandige kind achterna gaan.
Het was een pad dat al snel tussen de bomen verdween. Er waren vele zijwegen maar ze besloot niet af te wijken anders zou ze nog verdwalen. Na ongeveer een kwartier kwam ze aan de rand van een uitgestrekt heideveld. Ze ging op een van de banken zitten en genoot de eerste ogenblikken van het uitzicht. Het zou nog enkele weken duren voor de heide bloeide. Dit gebied zag eruit of het al eeuwen hetzelfde was. De uitgestrektheid, alleen afgewisseld door af en toe een oplichtende plek zand of een vliegden en de bijna wolkenloze hemel erboven, maakte haar innerlijk rustiger. Ze had rust nodig om na te denken. Was het eigenlijk wel verstandig die kamer te nemen in Thomas' huis. Ze zou toch min of meer deel uitmaken van dat gezin, dat was moeilijk te voorkomen. Toch vond ze het een uitdaging. Als ze niet wilde, hoefde ze zich nauwelijks met een van hen te bemoeien. Dat lag de vorige keer anders omdat ze toen min of meer een baan had bij Thomas. Ze zou nu veel vrijer zijn. Daar-

bij was de kamer gezellig en de buurt trok haar aan omdat het vlak bij het centrum was.
Maar de kinderen waren uitgesproken vijandig. Aan de andere kant, als zij het een beetje gezellig kon maken, als ze wat sfeer kon scheppen, zou dat toch voldoening geven. Als de kinderen daarbij zeker wisten dat ze nooit de plaats van hun moeder zou innemen, zou hun houding misschien veranderen. Ze vroeg zich af hoe het geweest zou zijn als ze Thomas onder andere omstandigheden had ontmoet. Als zij beiden vrij waren geweest van herinneringen. Na Richards gemakkelijke manier van leven en zijn nonchalante houding van omgaan met mensen, was het bijna een verademing iemand als Thomas te ontmoeten. Iemand die zo trouw was aan een liefde en die geen enkele poging tot contact waagde.
Een ander feit was dat ze bij Thomas in zekere zin veilig zou zijn voor Richard. Want Richard liet haar niet los en dat was in zekere zin haar eigen schuld. Ze had hem die laatste keer 's avonds de deur moeten wijzen in plaats van 's morgens. Ze was er zeker van dat hij weer zou proberen een afspraak te maken. Zou ze dan sterk genoeg zijn om te weigeren? Waarom bleef haar domme hart naar hem hunkeren, terwijl zijn karakter haar in feite helemaal niet aantrok? Was ze dan zo onvolwassen dat ze onmiddellijk overstag ging voor een grote hoeveelheid charme en een paar ogen die leken te strelen.
Ze zocht naar een zakdoek; boos op zichzelf. Hij was het werkelijk niet waard dat ze één traan aan hem verspilde. Trouwens, ze moest proberen zich te beheersen, want ze wist uit ervaring dat als die ene traan zijn weg had gevonden er vele zouden volgen. Deze gedachten konden echter niet verhinderen dat ze een huilbui kreeg en daar nog middenin zat toen ze iemand hoorde aankomen. Ze keek niet om en bleef roerloos zitten alsof ze van het landschap genoot. Ze vond het afschuwelijk dat het Thomas was die haar zo zag. Juist voor hém had ze sterk willen zijn. Hij had werkelijk genoeg aan zijn eigen verdriet.
,,Ik neem aan dat je niet in tranen bent uitgebarsten vanwege dit landschap.''
Het klonk een tikje ironisch en Stefanie kende hem niet goed genoeg om te weten dat hij hiermee zijn verlegenheid verborg.
,,Ik huil om iemand die onbereikbaar is. Even onbereikbaar als... zat hij op de Noordpool.''

Bijna had ze gezegd: al was hij dood, maar ze slikte dat bijtijds in. Thomas kwam naast haar zitten, zijn wat vale spijkerbroek was rafelig aan de pijpen. Als hij zich thuis zo zou kleden, zou dat volkomen in disharmonie zijn met het huis. Maar in het huis aan de gracht was hij altijd keurig in het pak.
,,Je vertelde mij dat hij getrouwd is," begon Thomas. ,,Zie je hem nog wel eens?"
,,Een maand geleden bleef hij bij me overnachten. Ik weet dat ik had moeten weigeren, maar ik kon het niet. Hij is zo'n bijzondere man."
,,Spaar me," verzocht Thomas duidelijk geïrriteerd. ,,Zijn kwaliteiten interesseren mij totaal niet. Ik vroeg me alleen af, als je bij mij woont of hij dan ook komt logeren. Ik vind dat een beetje moeilijk te verklaren tegenover de kinderen."
,,Dat laatste is onzin, Thomas. Nicole is twaalf jaar, bijna dertien. Ze heeft altijd in de stad gewoond. Ik denk dat ze minder groen is dan jij denkt. Het is overigens niet mijn bedoeling hem nog te ontmoeten. Nu ik een andere kamer heb, hoop ik helemaal opnieuw te beginnen. Trouwens, ik slik de pil niet meer en ik heb geen zin nog eens zo in spanning te zitten als de laatste weken het geval was." Ze snoot haar neus en borg haar zakdoek dan resoluut weg.
Thomas moest even slikken bij deze laatste openhartige mededeling. Ze was heel anders dan de vrouwen waar hij gewoonlijk mee omging. Deze gedachte deed hem zeggen: ,,Ik begrijp werkelijk niet waarom je iets begint met een getrouwde man. Hij mag dan bijzonder zijn in jouw ogen, maar jij bent ook uniek, Stefanie. Een heel bijzonder persoontje."
,,De volgende vraag is dan natuurlijk of dit aan mijn negatieve dan wel aan mijn positieve eigenschappen te danken is," zei ze hem zijdelings opnemend.
Thomas begon te lachen en dat was voor hem zo ongewoon dat ze hem aan bleef staren. Even zag hij er heel vrolijk uit, maar een moment later verstrakte zijn gezicht alweer en Stefanie vroeg zich af of hij zich schuldig voelde omdat hij de last die hij droeg even had afgelegd. ,,Laten we teruggaan," stelde hij voor, ,,anders krijgt moeder weer allerlei vreemde ideeën. Gek, ik had nooit gedacht dat ze zo zou reageren. Het lijkt wel of ze ernaar uitkijkt dat ik zo snel mogelijk met een andere vrouw kom aanzetten. Terwijl ze dol was op Hetty."

Ze vond haar toch een tikje té volmaakt, dacht Stefanie. Maar ze sprak die gedachte niet uit. Misschien was het alleen een indruk van haarzelf geweest dat Thomas' moeder niet alleen in positieve zin over haar schoondochter dacht.
De maaltijd verliep tamelijk ongedwongen, hoewel de kinderen nauwelijks iets tegen haar zeiden. Stefanie was echter niet van plan zich op te dringen. Na de afwas zaten ze geruime tijd buiten. Thomas' vader vertelde een verhaal uit de oorlog, over de tijd toen hij enkele onderduikers had verborgen. De man had een mooie stem en kon beeldend vertellen. Ook de kinderen genoten merkbaar.
Later toen deze in bed lagen en ook de twee oudere mensen aanstalten maakten, keek Stefanie met iets van verlangen naar het door de maan verlichte bospad. Wat zou het bijzonder zijn op de hei. En wat zou het romantisch zijn om daar met Richard te wandelen. Hoewel, Richard was een stadsmens. Dergelijke wandelingen hadden ze zelden gemaakt.
,,Heb je zin?" vroeg Thomas naast haar.
Ze ving een snelle blik op van Thomas' moeder.
,,Laten we het maar doen, het is voor ons nog te vroeg om te slapen," hakte Thomas de knoop door.
Dus liepen ze wat later dezelfde weg als die middag. De maan verlichtte hun pad, af en toe ritselde er iets tussen de struiken, soms klonk de roep van een nachtvogel. Verder heerste er diepe stilde. Aan de rand van de hei stonden ze stil.
Thomas leunde met zijn rug tegen een boom. ,,Ik liep hier vaak met Hetty. Eigenlijk iedere avond, zolang we hier logeerden. We praatten dan over allerlei onderwerpen, natuurlijk ook over de kinderen. Eens hadden we het over nog een kind erbij. Ik wilde dat graag, maar Hetty vond twee wel genoeg. Ik ben zelf enig kind, ik heb altijd een groot gezin gewild. Begrijp me goed, we hadden er nooit ruzie over."
,,Hádden jullie wel ooit ruzie?" gooide Stefanie ertussendoor.
,,Eigenlijk niet. Terwijl ik toch best driftig kan worden. Maar in de buurt van Hetty was ik een ander mens. Niemand zou het ooit wagen in haar bijzijn te schreeuwen."
,,Had jij dat dan nooit gewild? Goed kwaad worden, met de deuren smijten, zeggen dat je genoeg had van al die volmaaktheid?"
,,Hoe kom je daar nou bij?" Tot haar opluchting werd hij niet

kwaad om datgene wat ze er nu weer had uitgeflapt. ,,Ach, je moet me maar laten kletsen. Soms ben ik een beetje tegen de draad in. Ik zou niet kunnen leven zoals jullie blijkbaar deden. Ik bedoel, met alle emoties toegedekt onder een roze deken en een blijde glimlach."
Thomas keek naar het fijne profiel. Ze had het donkere haar weer op een staart gebonden. Huil maar, lach maar, wees boos, wees blij, ik doe met je mee. Hij had deze woorden niet hardop uitgesproken en verbijsterd vroeg hij zich af hoe hij op deze absurde gedachte kwam.
,,Laten we teruggaan... Stefanie, ik wil niet negatief over mijn vrouw praten."
,,Natuurlijk niet. Maar misschien kun jij het beeld dat zij volmaakt was een beetje loslaten."
Ieder in hun eigen gedachten verdiept, liepen ze de terugweg. Een volmaakt beeld, dacht Thomas. Maar Hetty wás perfect, iedereen zei het. Hij herinnerde zich ineens een uitspraak van zijn vader toen deze Hetty voor het eerst had ontmoet.
,,Ze is zo keurig, zo beschaafd, wat verbergt ze achter die glimlach, Thomas?"
Hetty verborg niets en zeker geen slechte eigenschappen. Hooguit was ze soms wat koel geweest. Nee, nee, hij wilde in geen geval negatief over haar denken. Het was al erg genoeg dat hij tijdens haar leven wel eens had gedacht: het zou best eens wat minder aardig en lief kunnen, zowel tegenover mij als in verband met de kinderen. Want hij was best eens kwaad geworden als ze bijvoorbeeld weigerde mee te gaan naar een feestje, omdat de mensen in haar ogen ordinair waren. Of als ze elke woordenwisseling in de kiem smoorde, omdat ze ruzie onbeschaafd vond. Maar ondanks die kleine dingen had hij van haar gehouden en het leven was nauwelijks meer de moeite waard nu zij er niet meer was. Weer vroeg hij zich af of hij er goed aan deed Stefanie in huis te halen. Want hij zou onherroepelijk veel met haar te maken krijgen. Kon hij leven met iemand naast zich die er alles maar uitflapte en blijkbaar weinig gaf om stijl en uiterlijk vertoon? De tijd zou het moeten leren, maar hij was niet echt optimistisch.
In het huis was het doodstil. Terwijl Stefanie in de keuken nog een glas water dronk, wenste Thomas haar welterusten en verdween voor haar naar boven. Hij had haar niet voorgesteld sa-

men nog iets te drinken. Waarom zou hij ook? Eigenlijk gedroeg hij zich asociaal. Hij zag zijn medemensen niet eens. Hij zag bijvoorbeeld niet dat zij eenzaam was en behoefte had aan wat menselijk contact. Eigenlijk was hij enorm egoïstisch in zijn verdriet.
Stefanie vroeg zich enigszins verbaasd af waarom ze zich zo kwaad maakte.

Ze bleven enige dagen bij Thomas' ouders. Jasper scheen enigszins te ontdooien, maar Nicole trok zich steeds meer in zichzelf terug. Ze gaf nauwelijks antwoord als Stefanie haar iets vroeg. Op den duur negeerde Stefanie het meisje.
Als ze een wandeling maakte, liep Jasper met haar mee. Hij stapte dan meestal zwijgend naast haar en zij drong zich niet op met allerlei vragen.
Jasper vroeg steevast of zijn zusje ook meeging, maar iedere keer weigerde Nicole. Een keer vroeg Jasper: ,,Jij gaat toch niet met mijn vader trouwen, hè?"
,,Absoluut niet. Stel je voor, dan zou ik jullie moeder worden. Ik voel me nog veel te jong voor zulke grote kinderen."
,,Wil jij nooit iemands moeder zijn?"
,,Als ik een man ontmoet waar ik veel van houd en we krijgen samen een baby, dan ben ik een moeder."
Jasper knikte ernstig. Stefanie had het idee dat hem iets dwars zat.
Het was echter geruime tijd later dat hij ineens zei: ,,Ik weet niet meer hoe mijn mamma eruit zag. Ik ben haar vergeten." Zijn stem beefde een beetje.
,,Je kúnt haar nooit vergeten. Je hebt toch foto's," probeerde Stefanie luchtig te antwoorden.
,,Ik bedoel geen foto's, ik bedoel écht," zei Jasper op een toon van je begrijpt er niets van.
Stefanie knikte langzaam. ,,Je bedoelt zoals ze was als ze zat te tekenen, of als ze jou voorlas, of je kamer binnenkwam?"
Jasper knikte en keek haar vol verwachting aan of zij een pasklaar antwoord voor hem zou hebben.
,,Wil je graag dat je haar zo precies voor je blijft zien? Je kunt toch ook denken aan een dag dat jullie met zijn vieren uitgingen. Of aan een verjaardag. Misschien weet je nog welk liedje ze altijd voor je zong. Iets van haar, blijft altijd bij je. En heel

vaak, ook als je ouder wordt, zul je merken dat je weer precies weet hoe ze was, zul je ontdekken dat je precies dezelfde dingen doet als je mamma altijd deed. Dat komt dan omdat je een kind van haar bent."
,,Hoe weet je dat allemaal?"
Stefanie glimlachte om de achterdocht in zijn stem. ,,Mijn moeder is er ook niet meer. Bij mij is het zo gegaan."
,,Jouw moeder? Had jij ook een mamma en is ze ook ineens doodgegaan?"
Stefanie trok hem naast zich op een boomstam. ,,Niet ineens, ze was al langer ziek. Ik was zeventien jaar toen ze overleed. Ouder dan jij nu dus. Maar ik ben haar niet vergeten en het is al tien jaar geleden. Heel vaak zie ik haar ineens duidelijk voor me. Mijn vader heeft een andere vrouw gevonden, dat is natuurlijk fijn voor hem. Maar zij is mijn moeder niet."
,,Nee, dat kan ook niet," zei Jasper wijs.
Stefanie hoopte dat ze hem niet voorgoed een negatief oordeel had meegegeven voor als zijn vader ooit zou hertrouwen.
,,Je hebt dus een stiefmoeder," ontdekte Jasper dan.
,,Zo noem ik haar niet. Ze heet Gina."
Jasper moest dit alles kennelijk verwerken, want hij was nog stiller dan anders op de terugweg.
Toen ze thuiskwamen, zat Nicole op de trap die naar het terras leidde. Ze had haar gezichtje naar de zon gekeerd, de handen om haar knieën geslagen. Toen ze hen hoorde, opende ze haar ogen en maakte aanstalten om op te staan.
,,Nicole, zullen we verstoppertje doen?"
,,Ik heb geen zin."
,,Jij hebt nooit meer zin."
,,Je doet maar verstoppertje met háár."
Jasper keek van de een naar de ander, scheen te aarzelen tussen Stefanie, die hij steeds aardiger ging vinden, en de trouw aan zijn zusje. Uiteindelijk koos hij geen van beiden. Hij liep naar de achterkant van het huis waar zijn grootvader bezig was.
Mevrouw Van Schagen was buiten de tafel aan het dekken. ,,Het is voor de kinderen elke keer een omschakeling als ze weer terug moeten naar de stad."
,,Ik denk niet dat ze hier altijd zouden willen wonen," meende Stefanie.
,,Thomas wel denk ik. En jij?"

Stefanie was even van haar stuk gebracht. ,,Ik heb daar nooit zo over nagedacht."
,,Let je een beetje op Thomas?"
,,Hoe bedoelt u?" vroeg Stefanie op haar hoede.
,,Wel, hij is eenzaam. Ik bedoel dat hij geen domme dingen doet. Andere vrouwen bijvoorbeeld."
Stefanie schoot bijna in de lach. ,,Hij is geen kind meer. Als hij dat zou willen, zou ik hem niet kunnen en willen tegenhouden. Maar ik denk niet dat hij die weg zal opgaan. U zou uw zoon toch beter moeten kennen."
Op dat moment kwam Thomas hun richting uit en Stefanie was blij dat dit gesprek werd afgebroken. Ze wilde in geen geval in opdracht van Thomas' moeder de gangen van haar zoon nagaan. Hem in de gaten houden of alles wel goed ging. Thomas zou zijn leven op eigen kracht weer in de juiste koers moeten krijgen.
Het was heerlijk buiten te eten met het uitzicht op de bossen. Vogels kwamen brutaal dichterbij in afwachting of er een kruimeltje voor hen afviel.
,,Stefanies moeder is ook dood," zei Jasper ineens met zijn heldere stem. Iedereen keek haar aan.
Nicole legde haar broodje neer, klemde haar hand om de tafelrand. ,,Dat liegt ze. Want ze zei dat haar ouders in Frankrijk wonen. Zij gaat daar immers logeren. Ze wil alleen maar dat je haar aardig vindt, Jasper. Daarom zegt ze dat."
Stefanie staarde het kind aan, woedend en gekwetst. ,,Mijn moeder is overleden toen ik zeventien jaar was, na een ernstige ziekte. Mijn vader is toen met een andere vrouw in Frankrijk gaan wonen. Ik begrijp trouwens niet waarom ik jou dit allemaal uitleg. Je hebt niets met mijn leven te maken en het kan me ook absoluut niet schelen of jullie me aardig vinden of niet. Er is niets méér dan dat ik een kamer in jullie huis heb gehuurd. We zullen dus gebruik moeten maken van dezelfde trap en voordeur. Maar als je het goed uitkient, hoef je mij nooit tegen te komen." Ze smeet haar servet op tafel en beende met lange passen weg.
Thomas keek zijn dochter strak aan. ,,Nicole, dit kan echt niet. Ik vind dat je haar moet zeggen dat het je spijt."
,,Nooit doe ik dat, nooit in mijn hele leven!" Ook Nicole verdween van tafel.

Thomas zuchtte diep.
,,Ze voelt zich bedreigd," meende zijn vader. ,,Ze koestert een bepaald beeld van Hetty, zoals jij dat ook doet. Ze is bang dat dit meisje het beeld van haar moeder verdringt, zowel bij jou als bij Jasper."
,,Moet ik Stefanie dan die kamer weer opzeggen?"
,,Ben je gek." Zijn moeder tikte heftig met haar mes op tafel. ,,Je zou verdorie blij moeten zijn dat er iemand in huis is die níet voortdurend over Hetty praat."
,,Je overdrijft echt heel erg, moeder."
,,Probeer nu eerst eens wat orde in je leven te brengen, zodat alles weer enigszins normaal wordt, voor zover dat mogelijk is."
Thomas ging op dit laatste niet in. Hij had geen zin in een woordenwisseling één dag voor ze zouden vertrekken.
De volgende dag hield Stefanie zich wat afzijdig. Ze was die morgen in haar eentje een lange wandeling gaan maken. Ze wilde zich in geen geval tussen Thomas en de kinderen dringen, of zelfs maar die indruk wekken. Toen ze terugkwam, zat Nicole op het terras te lezen. Thomas pakte een en ander in de auto, terwijl Jasper wat landerig rondhing.
,,Waar was je nou?" vroeg het kind verongelijkt.
,,Ik dacht dat jullie met zijn drieën ergens naar toe zouden gaan, naar een dierentuin of zo."
Thomas maakte een ongeduldige hoofdbeweging. ,,Wil je mij nu per se naar een plaats sturen waar het stikt van de volledige gezinnen?"
,,Nou, Thomas, dat..."
,,Ja, zo is het. Een dierentuin daar ga je met je volledige familie naar toe." Zijn stem schoot driftig uit.
,,Je kinderen zíjn je familie."
,,Ach, begrijp je nou echt niets? Nicole is er trouwens te groot voor."
,,Dat is belachelijk. Zelfs ík ben er niet te groot voor." Ze was nu ook kwaad. Ze zag dat Nicole het gesprek met grote interesse volgde.
,,Goed, goed, je zult wel gelijk hebben. Ik maak het leven van mijn kinderen tot een dorre troosteloze aangelegenheid. Dat wilde je toch zeggen?"
,,Die woorden waren niet in me opgekomen. Maar het geeft

inderdaad heel aardig weer, wat ik bedoel." Toen ze Thomas' gezicht zag, had ze alweer spijt van haar harde opstelling. Ze haalde diep adem. ,,In feite heb ik er niets mee te maken. Misschien dat ik op een vrije middag een keer met Jasper ga. Vind je dat goed?"
,,Ik heb inmiddels begrepen dat je ook voor je eigen plezier gaat." Ze keken elkaar aan en plotseling begonnen ze allebei te lachen.
,,Ik lijk wel gek. Me opwinden over zoiets," mompelde Thomas. Stefanie zag dat hij zich een beetje geneerde.
,,Ik wilde nu vertrekken, misschien kunnen we onderweg ergens eten," stelde hij verlegen voor.
,,Prima. Tenslotte is een restaurant soms ook net een dierentuin."
Tegen zijn wil schoot Thomas weer in de lach, ving ineens de strakke blik van zijn dochter op. Ze stond daar als een levend verwijt, als het ware met een beschuldigende uitgestoken vinger. Hij wist wat ze dacht. Hoe kun je lachen... Hij draaide zich om, voelde iets van wrevel jegens het meisje. Ze was toch wel erg fanatiek in haar verdriet.
Het etentje verliep zonder incidenten en was zeker geslaagd te noemen. Zelfs Nicole scheen ervan te genieten en Stefanie besloot eens te meer zich zeker niet op te dringen. Hoe graag ze het meisje wat vrolijker zou zien, kon ze daar toch bijzonder weinig aan doen. Alleen haar aanwezigheid scheen Nicole al tegen de haren in te strijken. Als Thomas ooit hertrouwde, dan kon hij daarmee beter wachten tot zijn dochter de deur uit was.

HOOFDSTUK 5

In de daaropvolgende weken probeerde Stefanie enigszins haar evenwicht te vinden tussen haar werk en haar bezigheden in 'Hetty's huis', zoals ze de woning aan de gracht in stilte noemde. Tijdens die enkele dagen op de Veluwe had het geleken of in elk geval Thomas en Jasper iets minder met hun verlies bezig waren, maar hier in huis leek alles weer als een verstikkende deken bovenop hen te vallen.

Stefanies eigen kamer was een gezellige ruimte, maar wel rommeliger dan het vertrek beneden, dat Thomas nog steeds perfect in orde hield. Stefanie had op zich genomen driemaal in de week te koken. Ze aten die dagen gezamenlijk. Ze wist niet dat Thomas en Jasper naar die maaltijden uitkeken. Ze had zich een kat aangeschaft, een roodharige kater die ze Bartje noemde. Het dier was nog jong en zeer speels. Hij was meestal op haar kamer, een enkele keer liet ze hem in de achtertuin, maar niet zonder dat ze er zelf bij was. Het dier leek voorlopig geen behoefte te hebben door de voordeur te verdwijnen, maar toch was iedereen gewaarschuwd die deur nooit open te laten staan. Jasper was helemaal gefascineerd door de kat en kon met hem spelen tot Bartje er zelf genoeg van kreeg en hooghartig wegliep. Nicole kwam nooit op Stefanies kamer maar hield zich wel met de kat bezig als deze beneden kwam.
Er kwam een dag dat Nicole nieuwe kleren moest hebben en Stefanie was de aangewezen persoon om met haar mee te gaan. Nicole had eerst heftig geprotesteerd, maar het alternatief was helemaal niet winkelen, zoals Thomas boos uitviel. Dus bond ze in.
Stefanie besloot om zeker niet extra haar best te doen er een leuke middag van te maken; zoiets had bij Nicole toch geen zin. Ze ging die dag op een vrij zakelijke manier met haar om en ontdekte dat Nicole haar oordeel toch belangrijk vond. Vermoeid van het slenteren van de ene boetiek naar de andere, en een beetje verdoofd door de harde muziek die alle winkeltjes 'opfleurde', gingen ze aan het eind van de middag ijs eten. Nicole bestelde een enorme coupe. Stefanie had bij nader inzien toch meer zin in koffie. Terwijl ze daar zo zaten zag Stefanie ineens Richard haar richting uitkomen. Haar hand ging naar haar keel, ze keek om zich heen als wilde ze vluchten, maar hij had haar al gezien en kwam met een brede glimlach op hun tafeltje af. ,,Mijn allerliefste, Steffie, dat is lang geleden. Veel te lang. Waar ben jij ondergedoken? Ik ben op je oude adres geweest, maar men wist niets meer te vertellen dan dat je verhuisd was. Mag ik erbij komen zitten? Jongedame, wil jij even koffie voor me halen?"
Nicole schudde vastberaden haar hoofd. ,,Dan smelt mijn ijs."
Bravo, dacht Stefanie. Zo gedecideerd had ik vanaf het begin 'nee' tegen hem moeten zeggen.

,,Goed, dan ga ik zelf. Niet weglopen." Hij legde even zijn hand tegen haar wang, wat Nicole met achterdocht bekeek.
,,Wie is dat?" vroeg ze, zodra Richard buiten gehoorafstand was.
,,Een vriend van me."
,,Je echte vriend?"
,,Daar heb je niets mee te maken." Het maakte Stefanie kwaad dat Nicole de hele middag geen woord te veel had gezegd en nu ineens alles wilde weten.
,,Dat kun je toch wel zeggen." Nicole leek ineens wat toeschietelijker en Stefanie besefte dat, als zij een vaste vriend had, het meisje haar als veel minder bedreigend zou ervaren. Door Richards terugkomst werd haar verdere uitleg bespaard.
,,Ik heb ook voor jou een kop meegebracht, met slagroom, daar houd je toch van?" Hij glimlachte op een manier of ze samen een geheim deelden. ,,Vertel me eens waar je nu woont en wie is dit kind?"
,,Ze kan zelf praten," antwoordde Stefanie tamelijk scherp.
,,Ik ben Nicole van Schagen. Stefanie heeft bij ons een kamer."
,,Zo, zo. En mag ik haar opzoeken, denk je?"
,,Nee, nee. Richard, dat kan echt niet." Er klonk een begin van paniek in Stefanies stem.
,,Maar we moeten ergens afspreken, liefste."
,,Noem me niet zo," siste ze. ,,Kom, Nicole, we gaan naar huis."
Richard stond onmiddellijk ook op en legde een arm om haar heen. ,,Ik laat je zo maar niet gaan. Ik moet met je praten, er zijn nieuwe ontwikkclingen. Mijn vrouw is erachter gekomen. Ze wil nu scheiden."
Het was of Stefanies keel werd dichtgeknepen. Ze keek om zich heen of ze een vluchtweg zocht. ,,Als je mij niet loslaat, ga ik gillen," beet ze hem toe.
Waarschijnlijk hoorde hij aan haar toon dat ze het meende, want hij liet haar los en wendde zich tot Nicole. ,,Jij wilt me toch wel vertellen waar je woont?"
Natuurlijk was Nicole bereidwillig genoeg; Stefanie meende zelfs enig leedvermaak bij het meisje te bespeuren.
,,Jij bent daar absoluut niet welkom," beet ze Richard toe.
,,We zullen zien," glimlachte hij, totaal niet onder de indruk van haar bitse toon.

Ze haastte zich nu het restaurant uit en keek niet of Nicole haar volgde. Buiten slikte ze driftig een paar opkomende tranen weg. Deze ontmoeting had haar behoorlijk uit haar evenwicht gebracht, maar ze wilde niet dat Nicole dat merkte. Tweeëneenhalf jaar een relatie met perioden van hevige verliefdheid, dat vergat een mens niet zo gemakkelijk. Het was nog maar enkele maanden geleden dat hij de nacht bij haar had doorgebracht. Toch was ze er nu van overtuigd dat ze de draad niet meer wilde oppakken. Ze wilde eindelijk rust in haar leventje.
Die avond nadat ze hadden gegeten, liet Nicole haar aankopen aan haar vader zien en vertelde dat ze ijs had gegeten. Natuurlijk volgde toen het verhaal van de man die bij hen was komen zitten en Stefanie zoende en haar 'liefste' noemde.
Stefanie zag dat Thomas dit verhaal niet helemaal geloofde, maar ze besloot niets uit te leggen, uiteindelijk had hij er niets mee te maken.
Toen de kinderen naar bed waren, merkte ze echter dat het toch in zijn gedachten was blijven hangen.
,,Was dat die vroegere vriend van je?"
Ze knikte. ,,Nicole gaf hem dit adres. Ik weet zeker dat hij me komt opzoeken en dat wil ik absoluut niet."
,,Was Nicole onaardig?"
,,Onaardig? O Thomas, ze is er voortdurend op uit mij de voet dwars te zetten. Een verkoopster zei op een gegeven moment: 'Vraag maar hoe je moeder dit vindt'. Zij schreeuwde direct woedend: 'Zij is mijn moeder niet', zodat iedereen achterdochtig naar mij keek of ik dat kind soms ontvoerd had. Ik kreeg de neiging om even hard te roepen 'Ben ik daar even blij om'."
,,Wat moeten we met Nicole," zuchtte Thomas.
,,We moeten helemaal niets. Maar ik ga niet meer met haar de stad in."
,,Hoe is het nu met je werk in het ziekenhuis?" begon Thomas over iets anders.
Stefanie vertelde een en ander. Ze praatte graag over haar werk. Vroeger gebeurde dat met Francine, maar ze had haar vriendin al enige tijd niet gezien. Ze moest haar nodig eens bellen. Het duurde echter nog enkele weken voor ze kans zag een afspraak met Francine te maken.
Maar op een avond kwam haar vriendin naar het huis op de gracht. Lang, elegant en uiterst verzorgd. Tot Stefanies verba-

zing raakte Thomas vrij snel met haar in gesprek. Over hun beider werk en ook over de inrichting van het huis waar Francine duidelijk grote bewondering voor had. Ach ja, Francine was ook een perfectioniste. Alle vragen die zij stelde, over bijvoorbeeld de houtsoort van een stoel, de herkomst van een boekenkast en het onderhoud van de tafel, schenen Thomas te stimuleren uitgebreid te vertellen hoe hij eraan was gekomen. Zelfs de naam Hetty viel enige keren zonder dat daarna een onbehaaglijke stilte volgde. Stefanie zat erbij en voelde zich een beetje buitengesloten en toen Thomas vroeg: ,,Wil jij even voor koffie zorgen?" was de boot helemaal aan.
Wat had hij haar te behandelen als een dienstmeisje? Maar ze kon moeilijk weigeren zonder opgaaf van redenen en een reden was er niet, behalve dat ze niet begreep waarom Thomas zo geanimeerd met Francine praatte.
Na de koffie vroeg haar vriendin of ze haar kamer mocht zien. Terwijl ze rondkeek, hier en daar een voorwerp oppakte, de poes de nodige aandacht gaf, stond Stefanie zwijgend in de hoek bij het raam tot Francine haar aankeek.
,,Er zit veel meer in die man dan ik eerst dacht."
,,Je weet met hem om te gaan," moest Stefanie toegeven.
,,Mijn arme verliefde vriendin."
,,Verliefd!" Stefanie deed zo'n heftige stap naar voren dat het leek of ze een duw in de rug kreeg.
,,Stil maar, je weet het zelf nog niet, merk ik."
Stefanie ging snel zitten. Het leek of haar benen haar niet meer konden dragen.
,,Daar hoef je toch niet zo ontdaan over te zijn. Thomas is een leuke man om te zien. Hij mist dat enorme zelfverzekerde van Richard en ik kan me voorstellen..."
,,Dit is de grootste nonsens die ik in tijden heb gehoord," viel Stefanie haar in de rede. ,,Stel je even voor: een man als Thomas die alleen zijn eerste vrouw volmaakt vindt. Je hele leven met iemand moeten wedijveren die dood is en haar nooit eens kunnen zeggen wat je van haar vindt. Nee, er wordt verwacht dat je meedoet om de overledene van een stralenkrans te voorzien. Daarom alleen zou ik nooit zo stom zijn om verliefd te worden op Thomas... Daarbij Nicole... Je weet echt niet wat je zegt, Francine."
Deze had met een glimlach geluisterd. ,,Ik had het niet over

trouwen met Thomas. Ik zei enkel dat je verliefd op hem bent. En dat verwondert me eigenlijk niet, dat je iemand uitkiest die heel anders is dan Richard."
,,Je vergist je echt. Maar zelfs al had je gelijk, dan zou ik nooit aan dergelijke gevoelens toegeven bij een man als Thomas. Daar kan alleen ellende van komen en die heb ik op dat gebied wel genoeg gehad."
,,Het zou inderdaad beter zijn als je iemand anders vond, dat geef ik onmiddellijk toe." Francine bleef haar met een vaag glimlachje aankijken.
,,Denk nou niet dat ik zit te smachten naar een man. Voor het moment heb ik er meer dan genoeg van."
Francine begon tactvol over iets anders, maar Stefanie bleef het gevoel houden dat haar vriendin haar niet helemaal serieus nam.
Toen ze haar had uitgelaten, ging ze nog even de kamer binnen.
,,Aardige vrouw, je vriendin," zei Thomas direct.
,,Ja, zij is een echte dame. En daar houd jij van."
,,Ik betwijfel of jij op de hoogte bent van hetgeen waarvan ik houd," reageerde Thomas tamelijk scherp.
Ze haalde haar schouders op en ging de kamer uit. Ineens had ze het gevoel dat er een zekere spanning tussen hen was. Waarschijnlijk was het gesprek met Francine daar de oorzaak van.
Thomas dacht intussen over haar opmerking na. Hoe kwam ze erbij dat hij van damesachtige vrouwen hield. Hetty was natuurlijk wel een dametje geweest, maar eigenlijk vond hij spontane meisjesachtige typen ook heel leuk. Ze hoefden niet zo keurig netjes te zijn, het was niet nodig dat ze overal even handig in waren, waardoor een man zich soms een nul voelde.
Met een schuldig gevoel keek hij naar Hetty's portret. ,,Zo is het toch," mompelde hij zachtjes.

In de volgende weken probeerde Stefanie weer een eigen leven op te bouwen. Maar ze merkte al snel dat het moeilijk, zo niet onmogelijk was, zich overal buiten te houden wat het gezin Van Schagen aanging. Ze had wisselende diensten en was regelmatig thuis als ze de sleutel hoorde omdraaien. Meestal was het Jasper. Ze verdacht hem ervan dat hij, als hij wist dat zij er was, razendsnel naar huis kwam, terwijl Nicole juist wegbleef. Ze riep hem dan boven en ze zette thee voor hem. Hij speelde met

Bartje en vertelde haar allerlei verhalen over school. Ze merkte dat hij die uurtjes gezellig vond. Altijd probeerde hij uit te vinden wanneer ze thuis was.
Nicole daarentegen bleef juist bij een vriendinnetje als ze wist dat Stefanie vrij was. De laatste merkte dat haar aanvankelijke irritatie tegenover het meisje overging in een zekere bezorgdheid. Soms vond ze het kind in de kamer, starend naar haar moeders portret. Er stond ook steeds een vaasje bloemen.
,,Het is niet gezond," zei Stefanie een keer tegen Thomas.
,,Je kunt haar niet beletten nog steeds aan haar moeder te denken. Ik doe dat immers ook. Jasper is jonger, hij accepteert waarschijnlijk gemakkelijker."
Toch was het Stefanie opgevallen dat Thomas wel eens momenten had dat hij níet aan zijn vrouw dacht. Dan hadden ze diepgaande gesprekken. Soms ook vertelde ze vrolijke voorvallen uit het ziekenhuis en hij van school. Ze vond het een verademing hem voluit te horen lachen. Stefanie merkte ook op dat Thomas steeds vroeger thuiskwam op de dagen dat zij voor het eten zorgde. Hij hielp haar dan in de keuken.
,,Ik leer hier een heleboel van," meende hij zich te moeten verontschuldigen. ,,Want als jij ooit weer weggaat..." Deze woorden zweefden als het ware tussen hen in, maar ze reageerde er niet op.
Even later kwam Jasper binnen. Stefanie kende hem nu al zo goed dat het haar onmiddellijk opviel als hem iets dwars zat. Hij keek een beetje schuw naar haar, scheen iets te willen zeggen en bleef in de deuropening aarzelen.
,,Jasper, kom binnen en doe de deur dicht. Hoe vind je deze prachtige gehaktballen die ik persoonlijk heb gemaakt?"
Jasper lette niet op zijn vader. ,,Bartje is weg," fluisterde hij.
,,Welnee, daarnet was hij nog boven."
,,Ik nam hem mee naar beneden en de tuindeuren stonden open. Hij klom op de schutting."
,,Is hij alleen buiten? Lieve help... Domoor!" Stefanie liet alles in de steek en holde via de kamerdeur de tuin in. Het was slechts een kleine tuin, omgeven door een schutting. Alle tuinen waren omheind. Hij kon niet ver zijn. Ze riep hem en bijna direct hoorde ze zijn klagelijk gemiauw. Hij zat bovenop het schuurtje dat een schuin toelopend dak had. Hoe was hij daarop gekomen? Via die boom waarschijnlijk. Maar via die route kon hij

niet afdalen. Hij zou die sprong nooit durven nemen. Weer miauwde de poes.
,,Hij durft niet meer naar beneden,'' zei Jasper naast haar.
,,Nee, dat denk ik ook niet. Hij is niet gewend zo hoog te klimmen. Hebben jullie een ladder?''
Thomas was inmiddels ook komen kijken. ,,Alleen een huishoudtrap. Eens kijken hoe ver ik kom.''
Nu, dat was niet erg ver, zijn hoofd kwam net boven de goot.
,,Weet je zeker dat hij niet vanzelf weer naar beneden komt? Hij is er immers ook zelf opgeklommen,'' probeerde Thomas.
,,Ik denk dat hij hoogtevrees heeft.''
Thomas wierp haar een weifelende blik toe en voelde met zijn handen langs de dakrand. Stefanie en Jasper volgden gespannen zijn verrichtingen, de eerste onophoudelijk roepend. Jasper was in de weer met een etensbakje maar de kat bleef roerloos zitten, af en toe klagelijk miauwend.
Thomas had intussen een los stukje dakbedekking gevonden en Stefanie hield even haar adem in, toen hij zich optrok en van het ene op het andere moment tegen het schuine dak aanlag.
,,Hij kan wel naar beneden vallen,'' ontdekte Jasper nu.
Thomas schoof echter beetje bij beetje omhoog tot hij zijn handen om de nok kon slaan.
Toen stond Bartje op, en voorzichtig voetje voor voetje zocht ze haar weg naar beneden, wipte elegant vanaf de goot op de eerste trede van het trapje en daalde toen rustig af. Een moment later streek hij langs Stefanies benen voor hij aan het lekkers in zijn bakje begon.
,,Pappa, hij is hier,'' gilde Jasper.
,,Het zou fijn zijn als hij vijf minuten eerder op dat idee was gekomen.'' Thomas zat op de dakrand als een ruiter te paard. Hij zag ineens zijn buurvrouw in haar tuin.
,,Hé, hallo, Thomas, zit jij op het dak?''
Voor hij antwoord kon geven, verscheen de buurman van de andere kant in de tuin.
,,Hé, Tom, wat doe je daarboven?''
,,Ik kampeer hier,'' grijnsde Thomas. Voorzichtig zwaaide hij zijn been weer over de rand. Dit was toch hoger dan hij gedacht had. Beter kon hij zich op zijn buik laten glijden. Dan zag hij zijn buurmeisje op het terras.
,,Hé, ben je wel in orde. Dat is hoog.''

,,Vertel mij wat," bromde Thomas en zag toen de vader van het meisje die ook al bleef kijken. Dachten ze dat hij hier een of andere voorstelling ging houden? Langzaam en heel voorzichtig liet hij zich op zijn buik naar beneden glijden tot zijn voeten weer steun hadden.
,,De trap is vlak onder je," hoorde hij Stefanie zeggen.
,,Ga weg. Je zult flink schrikken als ik naar beneden val."
,,Je valt niet."
Hoorde hij werkelijk een onderdrukte lach in haar stem? Dan vonden zijn voeten eindelijk het trapje. Hij daalde naar beneden, keek in het enigszins schuldige gezicht van zijn zoon, zag het vonkje in Stefanies ogen en barstte in lachen uit. Hij zou later niet meer kunnen zeggen hoe het kwam dat zijn arm ineens om haar schouders lag, maar ze schaterden samen.
Jasper riep iets, lachte ook, opgelucht dat alles zo goed afliep.
Ineens zag Thomas zijn dochter staan. Ze stond op de drempel tussen de tuindeuren met een strak gezicht en boze ogen. ,,Wat doen jullie?" Jasper begon onmiddellijk te vertellen. Thomas liet Stefanie los bij de blik van zijn dochter.
,,Alles verbrandt in de keuken," zei het meisje.
,,Lieve help!" Stefanie holde hen vooruit. Thomas kwam haar snel achterna. Er hing inderdaad een blauwe walm in de keuken. Snel draaide Stefanie de pitten uit.
,,Het enige dat nog goed is, zijn mijn gehaktballen," grinnikte Thomas.
,,We hadden wel in brand kunnen vliegen door die stomme kat," klonk het vanaf de drempel.
,,Hoor eens, Nicole. Er is gelukkig niets van dien aard gebeurd. We wilden toch niet dat Bartje ervandoor ging, wel?"
,,Wat kan mij dat schelen."
,,Gedraag je niet zo onuitstaanbaar." Thomas duwde geprikkeld zijn dochter opzij. ,,Ik haal even andere aardappels."
Ook Nicole moest het wel opvallen dat haar vaders toon tegen Stefanie veranderde, vriendelijker was dan tegen haar.
,,Ik zou willen dat jij uit mamma's huis verdween," beet het meisje Stefanie toe.
,,Het spijt me wel, Nicole. Maar ik ben hier nu eenmaal en voorlopig blijf ik hier."
,,Je wilt met mijn vader trouwen. Als je maar niet denkt dat ik jou ooit als moeder wil."

,,Wel allemachtig!" Stefanie draaide zich woedend om, hield zich in toen ze Nicoles ongelukkige gezichtje zag. ,,Ik ga met niemand trouwen. Ik heb een kamer in jullie huis en dat is alles. Eigenlijk hoopte ik dat het voor jullie wat gezelliger zou worden."
,,Je bent niet eens een... een vrouw. Je bent gewoon maar een meisje."
Stefanie glimlachte. ,,Jij bent ook gewoon maar een meisje. Kom, laten we de tafel dekken. Jassie, haal jij even..." Ze hield abrupt haar mond toen ze de houding van de kinderen zag. Beiden stonden haar als versteend aan te staren.
,,Hoe noem je hem?" fluisterde Nicole.
,,Zomaar een grapje. Jassie."
Jasper kwam naar haar toe, zijn lip trilde. ,,Dat zei mamma ook altijd."
Stefanie liet zich op een knie zakken. ,,O lieverd, dat kon ik toch niet weten."
,,Het geeft niet, jij mag het wel zeggen."
,,Je bent gek, Jasper. Gek ben je!" schreeuwde Nicole.
,,Wat is hier aan de hand?" Thomas kwam binnen en keek van de een naar de ander.
,,Ze noemde mij Jassie," fluisterde zijn zoon.
Wat hulpeloos keek Stefanie hem aan.
,,Dat was mamma's... mamma's..." Nicole stikte bijna.
,,Ik weet het. Dat was mamma's naampje voor Jasper. Stefanie deed dat niet met opzet."
,,Straks gaat zij jou nog Tommie noemen." Uitdagend keek zijn dochter hem aan.
,,Dat zou ik niet goed vinden. En nu houden we er over op."
Stefanie merkte dat deze scène haar behoorlijk had aangepakt, haar handen beefden. Rustig pakte Thomas het mesje van haar over. Zijn blik hield even de hare vast.
,,Laat mij maar schillen. Ik vond het niet prettig als Hetty mij Tommie noemde. Het klonk zo kleinerend, hoewel het natuurlijk niet zo bedoeld was."
,,Natuurlijk niet," mompelde Stefanie. Nooit van mijn leven zal ik jou Tommie noemen, dacht ze erachteraan.
Toch werd na deze gebeurtenissen de sfeer wat meer ontspannen. Althans tussen hun drieën. Nicole had zich zo mogelijk nog meer in zichzelf teruggetrokken.

,,Ze heeft niet alleen haar moeder verloren. Ze heeft nu het gevoel dat ze ook haar vader en haar broertje kwijtraakt. Daarbij is ze in de puberteit; je bent nog lang niet van de moeilijkheden met haar af." Francine nam haar vriendin bezorgd op. Stefanie zag er vermoeid uit. Ze had tenslotte ook nog een baan voor zesentwintig uur. Waarschijnlijk voelde ze zich toch te veel bij dat gezin betrokken.
Dat ze daarin gelijk had, bleek toen Stefanie zei: ,,Soms lacht Thomas en lijkt hij tamelijk opgewekt. Ik kan daar zo blij om zijn."
Ze schudde haar hoofd toen ze Francines blik ontmoette. ,,Het is niet wat jij denkt. Het is toch hoopgevend als je ziet dat iemand zich langzaam uit een diepe depressie omhoog werkt. Ik zou daar ook blij om zijn als het een patiënt in het ziekenhuis betrof."
Francine knikte of ze er alles van begreep. ,,En de kinderen?"
,,Jasper zoekt mij steeds op. Ik probeer zakelijk en wat op een afstand te blijven, maar moeilijk is het wel. Hij kan soms zo hunkerend naast mijn stoel staan. Dan denk ik: hij wil bij me zitten. Toch raak ik hem zelden aan want het is niet goed als hij zich te veel aan mij gaat hechten. Ik zal daar immers niet altijd blijven."
Francine zei niet wat ze dacht, namelijk dat het waarschijnlijk het beste voor iedereen zou zijn als ze wél in dat gezin bleef.

Op een avond toen Thomas naar een ouderavond was, werd er gebeld. Stefanie hoorde Nicole de deur openen, daarna een snelle ren op de trap en een klopje op haar deur. ,,Die man van toen, je weet wel."
Stefanie stond haastig op. ,,Laat hem niet binnen."
,,Wat krijgen we nou. Sinds wanneer ben jij zo ongastvrij?" Richard had niet op de stoep gewacht. Hoe had ze zoiets kunnen denken.
,,Mijn vader is niet thuis," meende Nicole nog te moeten meedelen.
,,Ik kwam ook niet voor je vader. Ga jij nu maar naar beneden en stoor ons verder niet."
Nicole ging, na nog een aarzelende blik naar Stefanie. Ze scheen zich nu toch af te vragen of Stefanie dit bezoek wel leuk vond.

,,Hij liep gewoon de trap op naar haar kamer," vertelde ze aan een verontruste Jasper.
,,Maar wie is hij dan?"
,,Weet ik het. Misschien gaan ze wel trouwen."
,,Ik wil niet dat Stefanie gaat trouwen. Dan gaat ze hier weg."
,,Des te beter. Het is toch niet meer leuk sinds zij hier is."
,,Wel waar. Veel leuker dan voordien."
,,Denk jij nooit meer aan mamma?" Nicoles stem klonk streng, waarop Jaspers lip begon te trillen.
,,Natuurlijk wel. Maar mamma is er toch niet meer. Stefanie..."
,,Je bent haar gewoon vergeten," daagde Nicole hem uit. Ook zichzelf betrapte ze erop dat het beeld van haar moeder begon te vervagen.
,,Nietwaar. Maar ik mag Stefanie best lief vinden."
,,Soms denk ik dat mamma zomaar ineens terug is. Net zo plotseling als ze weg was," zei Nicole dromerig.
,,Misschien zou ze het dan wel goed vinden dat Stefanie ook blijft."
Nicole staarde haar broertje aan, perplex over zoveel ontrouw.
,,Wat ben jij een stom klein joch," zei ze verontwaardigd.
Jasper slikte deze belediging zonder blikken of blozen. ,,Ik denk niet dat mamma terugkomt. Als jij dat denkt, ben je ook stom," zei hij kalm.
Nicole wilde een uitval naar hem doen, maar hield zich in. Ineens vond ze het niet meer de moeite waard. Ze was trouwens te groot om met haar broertje te vechten. Ze begon hem steeds meer als een klein kind te zien. Dat ze daardoor nog eenzamer werd dan ze al was, wilde ze niet toegeven.

Stefanie stond nog steeds naast haar stoel, terwijl Richard was gaan zitten.
,,Ik heb echt goed nieuws. Mijn vrouw wil scheiden." Hij deed of hij haar afwerende houding niet opmerkte.
Stefanie wachtte onbewust op de schok van blijde verrassing na deze mededeling, maar er gebeurde niets. ,,Waarom dan zo opeens? Toch niet vanwege mij hoop ik. Tussen ons is immers alles voorbij."
,,Het was noodgedwongen voorbij. Nu is alles anders. Ik zal eerlijk zijn, zelf was ik ook van mening dat het tussen ons fini

was. Ik heb nog tweemaal iets gehad met een vrouw, maar het was surrogaat."
,,Denken die vrouwen daar ook zo over?"
Hij lachte. ,,Ik vrees van niet. De laatste ging zelfs naar mijn vrouw toe en vertelde dat ze zwanger was. Het was niet waar, dus een gemene streek. Ze deelde mijn vrouw ook nog mee dat ik vaker een ander had. Mijn hemel, ik heb Rita nog nooit zo kwaad gezien."
,,Jij hebt van die toestand genoten! Jij het middelpunt, en dan vrouwen die om jou vechten. Ga weg, Richard. Ik word misselijk van je." Haar stem trilde van woede en verontwaardiging.
,,Voor mij is het van geen enkel belang meer dat je vrouw nu wil scheiden. Daarmee komt ze voor mij zeker anderhalf jaar te laat."
,,Stef, dat kun je niet menen. Jij was de enige waar ik steeds aan bleef denken. Kom bij me zitten."
Stefanie schudde heftig haar hoofd.
,,Waarom niet? Is er iemand anders?"
Stefanie staarde hem aan en wist ineens zeker dat er iemand anders was. Een lange wat jongensachtige figuur. Iemand met meestal een wat trieste blik en soms met een vaag lachje. Iemand die dacht dat het leven voorbij was... Stefanie dwong haar gedachten een andere richting uit.
,,Wil je soms koffie?" vroeg ze niet al te hartelijk. Maar ze moest even iets te doen hebben. Ze kon Richard moeilijk met geweld uit haar kamer verwijderen. Als hij merkte dat het haar ernst was, dat ze niets meer met hem te maken wilde hebben, zou hij wel gaan.
,,Mijn lieve Steffie, ik kwam niet voor koffie."
Ze voelde Richards handen om haar middel, waarna hij haar naar zich toedraaide. Toen ze zijn ogen zag, wist ze ineens niet meer zo zeker of hij wel naar haar zou luisteren. Ze kon niet om hulp roepen vanwege de kinderen. Maar dit was Richard. Ze kon hem wel aan.

Toen Thomas thuiskwam, was Nicole tot zijn verbazing nog op.
,,Jij had al in bed moeten liggen."
,,Ik ga zo. Maar je moet toch weten dat Stefanie bezoek heeft en als je de voordeur afsluit, kan hij niet weg. Het is die man van toen."

,,Ik laat de sleutel wel in het slot zitten. Moet je daarvoor opblijven?"
,,Gaat Stefanie trouwen?"
,,Niet dat ik weet. Waarom vraag je dat? Omdat ze iemand op bezoek heeft?"
Nicole voelde feilloos aan dat haar vader geïrriteerd was en ze vroeg zich af of dat kwam omdat ze gevraagd had of Stefanie ging trouwen. Of misschien omdat ze bezoek had.
Thomas wist zelf ook niet waarom hij zich kwaad maakte. Maar stel nou dat die vent bleef slapen. Wat dan nog? Hij had daar niets mee te maken en hij was ook niet verantwoordelijk voor Stefanie. Zij was al lang volwassen; hij moest haar vrijheid gunnen. Hij deed het beste zelf naar bed te gaan.
Zou het diezelfde vent zijn waarvan ze hem verteld had? Die relatie was toch verbroken. Misschien was hij hier wel tegen haar zin. Eensklaps kwam er een idee bij hem op. Waarom zou hij niet gewoon aankloppen? Stefanie wist immers niet dat Nicole op hem had gewacht. Hij dacht er niet lang over na. Zachtjes liep hij de trap op, klopte op haar kamerdeur.
,,Ik ben thuis. Geen bijzonderheden met de kinderen?" Hij schrok toen de deur met een klap werd geopend.
,,Nou, jij komt wel op een prima moment over je kinderen leuteren."
Thomas keek niet naar de man. Hij zag alleen Stefanie die er ontredderd uitzag. Ze deed niet eens moeite om de flarden van haar blouse voor zich te houden.
,,Neem me niet kwalijk," bracht hij uit.
,,Richard gaat juist weg." Haar stem klonk vreemd, of ze op het punt stond in tranen uit te barsten.
Richard die zwijgend, maar duidelijk woedend bij de deur stond, zei: ,,Dat was ik inderdaad van plan. Je hoeft niet bang te zijn dat ik terugkom, zelfs al smeek je mij erom." Zijn toon suggereerde dat hij dat laatste zeker verwachtte. Dan verliet de man de kamer. Even later bonsde de voordeur dicht.
,,Het spijt me dat ik stoorde." Thomas was verlegen met de situatie, maar daarnaast was hij ook kwaad. Waarom liep ze half uitgekleed rond? Hij zag gemakshalve over het hoofd dat de situatie er niet uitzag of er zojuist een liefdesscène had plaatsgevonden.
,,Je stoorde niet, maar wil je nu weggaan?"

,,Je kunt me niet uit mijn eigen huis wegsturen.''
,,Maar wel uit deze kamer, die heb ik namelijk gehuurd.''
,,Ssst. Niet zo hard.''
,,Wat kan mij dat schelen. Het kan absoluut geen kwaad als er in dit huis eens met stemverheffing wordt gesproken. Kijk niet zo geschokt. Als ik kwaad ben, kan ik niet fluisteren en op mijn tenen lopen.''
Onwillekeurig glimlachte Thomas bij het idee. ,,Zou je niet wat aantrekken?'' vroeg hij dan met een blik op haar blote schouders en het kanten behaatje.
,,Waarom zou ik. Ik zei al, dit is mijn kamer.''
Ineens zag hij tranen in haar ogen. ,,Wat is er gebeurd, Stefanie? Die man...''
,,Dat was Richard waarvan ik je verteld heb. Twee jaar heb ik een verhouding met hem gehad. Ik dacht dat er in die tijd liefde tussen ons was. Nu kwam hij hierheen om te vertellen dat hij gaat scheiden. Toen hij merkte dat ik niets meer voor hem voelde, werd hij kwaad. Hij kan er niet tegen als hij wordt gedwarsboomd, zeker niet als het door een vrouw gebeurt. Hij overviel me... Als jij niet was gekomen, had hij natuurlijk gewonnen. Ik durfde niet te schreeuwen in verband met de kinderen.''
,,Allemachtig! Als ik dat had geweten, had ik hem de trap afgedonderd. Stefanie, hoe kun je met zo iemand...''
,,Houd op. Toen was hij niet zo, toen wilde ik zelf. Ik heb van hem gehouden, maar nu heeft hij alle mooie herinneringen teniet gedaan.''
Thomas strekte zijn hand naar haar uit, liet deze weer zakken toen ze achteruit deinsde.
,,Laat me alleen, wil je.''
Thomas wist bijna zeker dat ze zou gaan huilen als hij de kamer uit was. Toch kon hij niets anders doen dan weggaan. Eenmaal in zijn eigen kamer liet haar beeld hem echter niet los. Ze had eruit gezien als een verschrikt kind. Zo kende hij haar niet. Zijn blik ging naar de grote foto van Hetty, maar voor haar beeld, schoof dat van Stefanie met verwarde haren en een gescheurde blouse. Zo kwetsbaar had ze eruit gezien. Daarom had hij natuurlijk dat verlangen gevoeld haar dicht tegen zich aan te houden.

Stefanie zat op de rand van het bed. Ze probeerde de herinnering aan Richards woeste aanval weg te duwen, maar steeds zag ze zijn ogen weer voor zich toen ze hem zei dat het voorgoed was afgelopen. Hij zou haar zeker overweldigd hebben als Thomas niet was gekomen. Misschien meende hij het toen hij zei dat, ondanks zijn avontuurtjes, zij de enige voor hem was. Waarschijnlijker was echter dat hij niet kon hebben dat zij hem afwees. Ze had hem voorgoed en definitief afgeschreven. Met een zeker gevoel van opluchting constateerde ze dat. Haar gedachten waren echter niet alleen bij het gebeurde met Richard. Ze schaamde zich voor dat andere wat bij haar was opgekomen. Als Thomas deze avond bij haar had willen blijven, zou ze hem niet geweigerd hebben. Ze wilde absoluut niet van Thomas gaan houden, want voor hem was er nog altijd die ander, Hetty. Als hij bij haar kwam, was dat omdat hij troost zocht en mogelijk ook omdat hij na twee jaar behoefte had aan een vrouw. En zo wilde ze het niet.

Het was inmiddels bijna herfstvakantie en Stefanie had besloten een week naar haar ouders in Frankrijk te gaan. Na de gebeurtenissen van die avond had ze het gevoel dat Thomas en zij niet meer onbevangen tegenover elkaar stonden.
,,Dan zijn jullie weer onder elkaar,'' kon ze niet nalaten te zeggen, met een blik naar Nicole.
,,Met wie ga je dan?'' vroeg Jasper bijna in tranen.
,,Ik ga alleen. Sinds de zomervakantie heb ik hen niet gezien.''
,,Je behoeft je niet te verontschuldigen,'' zei Thomas vriendelijk. ,,Jasper bedoelt dat we je zullen missen. Maar we gaan zelf ook enkele dagen naar opa en oma.''
Thomas bracht haar naar de trein. De laatste tien minuten was er niet veel gezegd. Toen de trein binnenreed, greep Stefanie haar koffer, kuste hem snel op de wang en was al op de treeplank voor hij had kunnen reageren.
Even later was ze aan het open raam. Hij strekte zijn hand uit en ze legde de hare erin.
,,Je komt toch terug?'' vroeg hij zacht.
,,Natuurlijk kom ik terug.'' Ze bleven elkaar aankijken tot de trein vaart kreeg.
Thomas stond nog verloren op het perron toen de laatste wagon al lang in de verte was verdwenen. Het was of hij van het ene op het andere moment in een enorme leegte terecht was gekomen.

Was hij verliefd op Stefanie? Soms verlangde hij naar haar. Als hij wist dat ze voor het eten zorgde, haastte hij zich naar huis. Als ze op haar kamer was, luisterde hij onbewust naar alle geluiden die van boven kwamen. Hoe was zoiets mogelijk, terwijl hij haar een jaar geleden nog niet eens kende? En Hetty dan? Bijna twee jaar geleden was het dat hij haar verloren had. Was het mogelijk dat er in zijn hart alweer plaats was voor iemand anders?
,,Het is mogelijk van meer mensen tegelijk te houden," zei zijn vader toen hij er met hem over praatte. ,,Je zult Hetty nooit vergeten, maar je bent nog jong genoeg om een nieuwe liefde in je leven toe te laten."
,,Ik weet niet of zij wel iets voor me voelt. Daarbij, Nicole is uitgesproken vijandig. En dat terwijl er niet meer aan de hand is dan dat Stefanie een kamer bij ons huurt. Als Nicole zo blijft, kan ik in elk geval niet..."
,,Ik weet niet of jij je levensgeluk moet laten afhangen van de grillen van een kind van dertien jaar."
,,Maar ik wil dat Nicole zich gelukkig voelt, pa."
,,Ze is niet bepaald op een leeftijd om zich gelukkig te voelen, Thomas. Over enkele jaren gaat zij echter een zelfstandig leven leiden. Misschien is ze over vijf jaar het huis uit. Ik denk dat je in deze kwestie toch in de eerste plaats aan jezelf moet denken."

Ook Stefanie kwam er toe iets van haar problemen aan haar vader te vertellen. Later had ze er overigens spijt van. Ze had kunnen verwachten dat haar vader niet erg subtiel zou reageren.
,,Een weduwnaar met al wat grotere kinderen? Lieve help, Stefanie. Kun je niets beters krijgen? Je bent pas achtentwintig, je ziet er leuk uit, je bent intelligent."
,,Nou en? Denkt u dat ik lelijk en dom word als ik met iemand ga trouwen of samenwonen?"
,,Je krijgt wel betere kansen als jij je wat meer onder de mensen begeeft. Wat moet je in een huis met een weduwnaar met..."
,,Twee kinderen, dat hebt u al gezegd. Laat maar." Stefanie begon over iets anders. Al dit gepraat had geen enkele zin, want Thomas was nog lang niet los van Hetty. Daarbij moest hij zeker rekening houden met zijn kinderen. Zij zou niet anders wil-

len. Hoe diep had het haar niet gekwetst toen haar vader met Gina een nieuw leven begon. En zij was toen al een stuk ouder dan Thomas' kinderen nu.

HOOFDSTUK 6

Thomas haalde haar van de trein. Beiden waren wat verlegen. Daarbij kwam dat Stefanie zich in de trein al niet lekker had gevoeld en dit werd er zeker niet beter op. Daardoor was ze mat in haar reactie, ook toen ze de kinderen begroette. Jasper was duidelijk blij haar te zien, maar Nicole was op een afstand als altijd. De kamer was even perfect ingericht als de eerste keer toen zij binnenkwam, nu alweer bijna een jaar geleden.
Hetty's stoel stond zoals altijd in de erker en ook haar onafgemaakte tekening lag er nog. Haar portret hing nog altijd aan de wand. Stefanie wist niet wat ze verwacht had, nadat Thomas haar duidelijk had laten merken dat hij haar graag mocht. Misschien toch iets anders dan de bijna gewijde sfeer die nu weer in het vertrek hing.
Ze verdween vrij snel naar haar kamer, waar Bartje haar luid spinnend begroette. Hij was enkele dagen in een dierenpension geweest en duidelijk blij weer thuis te zijn. Stefanie ging wat rillerig in een stoel zitten. Ze voelde zich echt heel vervelend. Nog een geluk dat ze de volgende dag niet moest werken. Het kostte haar, al met al, nogal wat tijd om in bed te komen en toen ze eenmaal lag, begon het klappertanden. Die nacht steeg de koorts snel. Ze had ook zware hoofdpijn; ze wist dat ze flink ziek was.
De volgende morgen belde ze zelf de dokter die pas kwam toen iedereen al weg was. Zo kwam het dat Thomas noch de kinderen wisten dat Stefanie per ambulance naar het ziekenhuis werd vervoerd. Jasper was uit school naar huis gerend in de hoop thee te drinken met Stefanie. Hij vond haar kamer leeg op Bartje na, die luid miauwend op hem af kwam. Jasper was gewend het dier eten te geven. Hij wist waar alles stond, maar hij maakte zich ongerust. Het was zo vreemd in Stefanies kamer, rommelig en ongezellig.

Toen Thomas thuiskwam, werd hij aangeklampt door de buurvrouw die hem vertelde van de ambulance. Hij belde onmiddellijk naar de huisarts die ook de zijne was. Deze vertelde hem dat ze inderdaad in het ziekenhuis was opgenomen.
,,Het leek vanmorgen nogal ernstig. Ik had deze week een geval van hersenvliesontsteking en ik wilde geen enkel risico nemen. Ik hoorde vanmiddag dat het dat echter níet was. Het beste kunt u naar het ziekenhuis bellen of ze bezoek mag hebben."
Dit laatste was Thomas echter niet van plan. Als hij vroeg of hij haar mocht bezoeken, zou hem dat zeker geweigerd worden. Hij kon immers niet aantonen dat hij familie van haar was. Hij vertelde de kinderen een en ander, probeerde zijn stem luchtig te laten klinken, maar ze zagen de ernst op zijn gezicht.
,,Ze gaat toch niet dood?" Jaspers stem klonk schril van angst. Hij stelde zijn zoon zo goed mogelijk gerust. Zo erg kon het toch niet zijn. Dat allerergste zou hem niet nog eens overkomen. Toen hij naar het ziekenhuis reed, fladderden deze angstige gedachten door zijn hoofd als een zwerm muggen. Hij wist niet eens of het wel bezoektijd was, maar deze keer besloot hij zich van regels niets aan te trekken. Hij vroeg bij de receptie waar hij haar kon vinden, beende lange gangen door en stond later voor een kamerdeur waar alleen haar naam op stond. Stefanie Berkhof. Zachtjes opende hij de deur.
Om het bed stond een scherm en na een korte aarzeling liep hij er op zijn tenen naar toe. Stefanie lag met een hoogrode kleur te woelen. Ze leek hem niet te herkennen. Thomas greep haar gloeiende hand, fluisterde haar naam.
,,Thomas. Wat doe jij hier?" mompelde ze.
,,Dat zou ik eerder aan jou kunnen vragen. Ik hoor hier nu jij hier ligt." O God, laat me niet voor de tweede keer een vrouw verliezen waar ik van houd.
,,Meneer, wat bent u aan het doen? Hoe bent u hier gekomen?" Een verpleegster keek van Thomas naar het raam of ze dacht dat hij vliegend door het venster was binnengekomen.
,,Hoe is het met haar, wat mankeert haar eigenlijk?" vroeg Thomas zonder op de verontwaardigde vragen van de zuster te letten.
,,Ik mag geen mededelingen doen."
,,Het mens weet van niets," klonk het uit het bed.
De verpleegster fronste haar voorhoofd. ,,De dokter die haar

behandelt, heeft zijn kamer achter in de gang. En gaat u nu weg, het is niet eens tijd voor bezoek. Als patiënten doorlopend bezoek mogen hebben, krijgen wij dat altijd door." Ze bleef wachten tot Thomas aanstalten maakte om te vertrekken.
Hij legde een hand tegen Stefanies wang. ,,Ik kom terug," beloofde hij.
,,Dat is je geraden," prevelde ze.
In de gang leunde hij even tegen de muur, terwijl allerlei emoties hem overspoelden. Angst, verdriet, maar ook woede en onmacht. Hij moest die dokter spreken. Hij kon niet naar huis gaan terwijl hij niets méér wist.
De arts zat achter zijn bureau en vond het duidelijk niet prettig gestoord te worden.
,,Het gaat over Stefanie." Thomas deed enkele stappen naderbij.
,,Stefanie? Wie bedoelt u? Hebt u verder geen gegevens?"
,,U hebt natuurlijk op dit moment tientallen personen met de naam Stefanie te behandelen," zei Thomas bitter.
,,Misschien is deze Stefanie voor u het belangrijkste in uw leven, maar voor mij zijn alle patiënten gelijk. Maar nu schiet me te binnen wie u waarschijnlijk bedoelt. Stefanie Berkhof. We zijn bezig met een bloedonderzoek, maar ik geloof dat het er ernstiger uitziet dan het is. Ik zal het lab even bellen, misschien weten we dan meer."
Nu, dat was aardig van hem moest Thomas in gedachten toegeven. Uit de antwoorden die de dokter door de telefoon gaf, werd Thomas niets wijzer. Toen de man de hoorn neerlegde, maakte hij eerst enkele notities, keek dan op. ,,Hebt u kinderen?"
Op Thomas' bevestigende antwoord keek de dokter even peinzend voor zich uit.
,,Ik denk dat u voor enkele weken gezinsverzorging moet regelen. Uw vrouw moet de eerste tijd veel rusten. We hebben met een geval van Pfeiffer te doen. Een enkele maal kan deze ziekte bijzonder agressief beginnen. Overigens is er door dit vrij ernstig uitziende begin, geen enkele reden aan te nemen dat het herstel extra lang zal duren. Hoe dan ook, als de koorts is gezakt, mag uw vrouw weer naar huis. Ze kan nog lange tijd erg vermoeid zijn."
Na nog enkele inlichtingen over besmetting en dergelijke liep

Thomas even later buiten. ,,Niet te veel met de kinderen knuffelen want de eerste tijd kunnen zij ook besmet raken. U kunt u ook beter wat op een afstand houden, want als u alletwee ziek wordt, komt u echt in de problemen."
Thomas had niet het lef gehad te zeggen dat Stefanie zijn vrouw niet was. Dat laatste had de dokter gelijk maar aangenomen. Maar het was natuurlijk niet gebruikelijk dat anderen dan echtgenoten of de allernaaste familieleden de dokter stoorden over het verloop van een ziekte. Daarbij, Stefanie wás erg belangrijk in zijn leven. Dat was hem eens te meer gebleken toen hij haast verstard van angst naar het ziekenhuis was gereden en toen hij bij haar bed staande, had gezegd: ,,Ik hoor hier, bij jou."
De kinderen zaten op hem te wachten en toen hij Jaspers angstige ogen ontmoette, dacht hij: hij houdt ook van haar.
,,Ze wordt weer beter," zei hij rustig. Probeerde dan de vragen van zijn zoon te beantwoorden, die varieerden van: 'hoelang moet ze daar blijven' tot 'wat zei ze' en 'was ze blij toen je kwam'.
,,Jullie doen net of dit heel bijzonder is. Zoveel mensen zijn wel eens ziek," kwam Nicole er ineens tussen.
,,Stefanie is erg belangrijk voor ons. Ik houd veel van haar." Thomas' stem trilde een beetje.
,,Ga je met haar trouwen?"
,,Daar weet ik niets van. Misschien wil ze niet." Hij bewoog zich wat ongemakkelijk onder de verwijtende blik van zijn dochter.
,,En mamma dan? Houd je niet meer van haar?"
,,Ja, ik houd ook van mamma. Dat zal ik altijd blijven doen."
,,Hoe kun je dan zeggen dat je van háár houdt?"
,,Je kunt van meer mensen tegelijk houden. Ik houd immers ook van jullie en van opa en oma."
,,Dat is anders. Met vrouwen is dat anders," zei Nicole wijs, en dan hoopvol: ,,Misschien wil ze niet. Ze is eigenlijk nog een meisje en wij zijn al groot. Zij wil vast kleine kinderen van haarzelf. Baby's."
Thomas wilde niet zeggen dat die mogelijkheid na een huwelijk met hem niet was uitgesloten. Zijn dertienjarige dochter had het al moeilijk genoeg.

Na een week werd Stefanie uit het ziekenhuis ontslagen, maar

ze was inderdaad hondsmoe, zoals ze zelf zei. Ze bleef veel op haar kamer, lag uren op bed. Hoewel de vermoeidheid geleidelijk afnam, ging dat zo langzaam dat ze er depressief van werd. Francine kwam haar regelmatig opzoeken en vertelde haar nieuwtjes uit het ziekenhuis, maar het leek haar allemaal weinig te interesseren. Jasper kwam iedere dag een uurtje bij haar zitten. Thomas verscheen iedere avond met de vraag of hij iets voor haar kon doen, maar hij verdween ook weer snel. Het leek of hij verlegen was in haar bijzijn. Nicole zag ze de enkele keren dat ze naar beneden ging om voor het eten te zorgen.
Het was al voorjaar voor ze zich sterk genoeg voelde om te gaan werken. Binnen twee dagen was ze echter volkomen uitgeteld en toen nam ze een besluit.
Ze kwam die avond beneden en opnieuw viel het Thomas op hoe fragiel ze eruit zag, de ogen groot in het bleke gezichtje. Nicole zat aan tafel haar huiswerk te maken. Jasper speelde met auto's, daarbij een enorm lawaai producerend.
Stefanie keek rond in de perfecte kamer alsof ze deze voor het eerst zag. Thomas deed nog steeds zijn best alles te laten zoals het geweest was toen zijn vrouw voor het laatst de deur uitging. Of misschien was het Nicole die ervoor zorgde dat er niets veranderde in deze kamer. Ze kreeg ineens het gevoel dat ze zou stikken als ze hier nog langer bleef.
,,Ik ga weg," bracht ze met moeite uit en ging haastig zitten.
Deze opmerking had de anderen echter tot leven gebracht.
,,Waar wil je heen? Je bent nog lang niet fit genoeg." Thomas keek haar bezorgd aan.
,,Kan zijn. Maar ik ben het zat. Ik ga naar Frankrijk, daar is het eerder echt lente dan hier."
,,Kom je weer terug?" fluisterde Jasper. Ze ving zijn smekende blik op.
,,Ik kom nog wel een keer terug, maar niet meer om hier te wonen."
,,Wil je niet met pappa trouwen?" Jasper huilde nu bijna.
In de stilte die volgde, keken Stefanie en Thomas elkaar aan. Ze zag de blik in zijn ogen en begreep dat hij met de kinderen over de mogelijkheid van een huwelijk had gepraat. Waarom wist zij daar niets van? O, ze had zijn bezorgdheid wel gevoeld toen ze ziek was. Ze wist dat hij haar graag mocht, maar waarom had hij niets gezegd?

,,Ik kom niet terug zolang het hier zo is. Dit huis is een gewijde tempel ter ere van jullie moeder." Ze stond op, liep de trap op naar haar kamer en begon gelijk haar koffer te pakken. Ze wist dat ze nu moest gaan voor ze zou toegeven aan Jaspers smekende ogen.

Voor ze medelijden kreeg bij het zien van Thomas' verslagen blik. O, die blik te zien veranderen in opluchting, hem verlegen, maar enorm blij te zien lachen. Ze moest gaan voor ze zich niet meer kon inhouden en Jasper stijf tegen zich aan zou drukken, voor ze een gebaar zou maken naar Nicole om eindelijk vrede te sluiten. Ze was bijna klaar toen Thomas haar kamer binnenkwam.

,,En ik dan, Stefanie?" vroeg hij zonder verdere inleiding.

,,Je hebt me nodig, dat weet ik heus wel. Maar vooral als huishoudster en als opvang voor de kinderen. Je bent nog geen stap verder gekomen na het ongeluk van je vrouw."

,,Dat is niet waar. Ik denk heel veel aan jou. Ik heb zo in angst gezeten toen je plotseling ziek werd. Ik was vreselijk bang je te verliezen."

Ze streek het donkere haar naar achteren. ,,Natuurlijk, dan had je opnieuw met iemand anders in zee gemoeten."

Plotseling stond hij vlak voor haar. ,,Als jij in de buurt bent, weet ik niet meer wat ik moet zeggen. Ik lijk dan wel een verlegen schooljongen. Ik geloof dat ik verliefd op je ben. Maar ten dele heb je gelijk, ik voel me daar behoorlijk schuldig over, zowel ten aanzien van de kinderen als tegenover Hetty..."

Ineens haalde hij haar naar zich toe en kuste haar. Steeds opnieuw kuste hij haar of hij er niet genoeg van kon krijgen.

,,Naar de hel met alle schuldgevoelens," hoorde ze hem mompelen.

,,Wat zijn jullie aan het doen?" klonk het vanaf de drempel.

,,Ga weg," zei Thomas, zonder zich om te draaien.

Stefanie maakte zich echter los en mikte lukraak een blouse in haar koffer.

,,Je gaat nú toch niet weg?" De vraag klonk haast smekend.

Ze moest lachen. ,,O, Thomas, denk je dat ik onmiddellijk hier blijf, omdat jij je zelfbeheersing verloor. Denk je dat alle problemen zijn opgelost omdat je mij zoende?" Ze knikte naar Nicole die nog steeds op de drempel stond. ,,Je dochter zou het bijvoorbeeld niet goed vinden als wij iets met elkaar hadden."

,,Is dat je enige bezwaar?" vroeg Thomas op een toon of Nicole totaal niet belangrijk was.
Het meisje maakte een onderdrukt geluid en verdween. Ze hoorden haar de trap afrennen.
,,Ze voelt zich erg alleen en ongelukkig."
,,Kan zijn. Maar ik ook."
Stefanie bleef echter onverbiddelijk. Ze was ervan overtuigd dat ze uit deze sfeer weg moest. Jasper was erg verdrietig, maar ze kon hem enigszins troosten door hem te vragen voor Bartje te zorgen.
Toen ze vertrok – deze keer ging ze met haar auto – stond Nicole in de gang. Ze leunde tegen haar moeders regenjas. Stefanie aarzelde of ze haar een zoen zou geven. Ze deed het toch maar.

,,Hoe reageerde ze?" vroeg Stefanies vader een dag later.
,,Ze veegde haar wang af," antwoordde Stefanie nog enigszins beledigd.
,,Ze is een koppige fanatiekelinge," mompelde hij. ,,Maar ze is ook erg ongelukkig. Als dat meisje, zijn dochter, jou accepteerde, zou je dan met hem trouwen?"
,,Trouwen is helemaal niet aan de orde." Stefanie was met haar vader de tuin ingelopen. Een tuin midden in Frankrijk waar de Hollandse tulpen het eerst opvielen. Stefanie wist dat over enkele maanden de rozen uitbundig zouden bloeien, dat de enorme fuchsia's eveneens hun bijzondere kelkjes zouden vertonen en niet te vergeten de hortensia's. Vaak bleven mensen staan en bewonderden de tuin. De Fransen uit deze streek maakten niet veel werk van hun tuin. Het comfortabele huis stond op een mooi plekje, het landschap was heuvelachtig. Voor de echte bergen moest je zuidelijker zijn. Toch had ze zich hier nooit echt thuisgevoeld.
,,Ik vroeg je iets. Je hoeft niet te antwoorden natuurlijk. Zou je bij die man willen wonen?" Haar vader keek haar aan.
,,Ik mag Thomas graag, maar zolang hij nog zo bezig is met zijn eerste vrouw wordt een relatie niets," zei ze eindelijk.
,,Het is immers al ruim twee jaar geleden? Van zijn vrouw, bedoel ik."
,,De een heeft nu eenmaal meer tijd nodig dan de ander," zei ze kortaf.
,,Je hebt me nog steeds niet vergeven dat ik indertijd zo snel bij

Gina ging wonen." Haar vader constateerde het als een feit en ze sprak hem niet tegen.
,,Ik had niet zo'n band met je moeder. Misschien kwam dat omdat ik zo vaak en zo lang weg was. Gina kende ik al geruime tijd."
,,Zeg niet dat u een verhouding met haar had toen moeder nog leefde. Ik wist dat er een ander was, maar ik hoopte dat het niet meer was dan een vorm van vriendschap. Gans die ik was."
Toen hij niet antwoordde, keerde Stefanie zich fel naar hem toe. ,,Was u werkelijk zo diep gezonken dat u er een ander op nahield, terwijl moeder zo ziek was? U was toen bezorgd en vriendelijk voor haar, zo dat het zelfs míj opviel. Ook dat was dus een leugen."
,,Haar ziekte had er niets mee te maken." Hij streek zich door zijn keurig gekapte haar. Een teken dat dit gesprek hem aangreep. Even later gebruikte hij zijn zakkam en weer viel het haar op dat hij ijdel was. Haar moeder had daar vroeger toegeeflijk om geglimlacht. Moeder... Het was zo lang geleden. Toch kon ze zich de kleine tengere vrouw onmiddellijk voor de geest halen. Bedrijvig, altijd bezig het haar man naar de zin te maken de enkele keren dat hij thuis was.
,,Ik hoop dat zij het nooit heeft geweten, maar ik heb zo mijn twijfels," zei ze ingehouden.
,,Je moeder verweet mij nooit iets."
,,Zodoende kon jij je gang gaan met alle vrouwen die in je buurt waren."
,,Haal het niet zo naar beneden, Stefanie. Ik houd van Gina. Ik wilde je alleen duidelijk maken waarom wij zo snel bij elkaar gingen wonen. Wij hadden al zo lang gewacht..."
,,Wachten tot je vrouw dood was. Bah. Waarom vertel je mij dit eigenlijk?"
,,Ik wil je duidelijk maken dat de meeste mensen in staat zijn van meer personen tegelijk te houden. Ik was heus ook zeer op je moeder gesteld. Die Thomas kan aan zijn overleden vrouw denken, maar toch van jou houden."
,,Ik bewonder Thomas nu nog meer om zijn onvoorwaardelijke trouw."
Carl liep schouderophalend bij haar vandaan en Stefanie ging op de witte bank zitten. Ze had haar vader zeker nooit op een voetstuk geplaatst. Ze had immers altijd geweten dat hij ijdel

was en oog had voor mooie vrouwen. Indertijd had ze geweten dat er iemand anders was, maar toch niet willen geloven dat het serieus was. Niet al tijdens de ziekte van haar moeder. Deze rustige bekentenis van haar vader kwam toch als een schok. Daarbij kwam het feit dat hij totaal geen schuldgevoelens leek te hebben. Terwijl Thomas zich al schuldig voelde als hij alleen maar vrolijk was. Lieve help, wat waren mensen toch verschillend. Ze was nu volwassen, moeder was er al jaren niet meer, maar nog voelde ze pijn om het verraad aan de vrouw die waarschijnlijk van niets had geweten. Ze dacht ook aan Nicole, die zo krampachtig het beeld van haar moeder wilde vasthouden. Arm kind, waarschijnlijk zou zij zich nooit kunnen neerleggen bij het feit van een andere vrouw op haar moeders plaats. Diep weggeborgen had zijzelf immers ook altijd iets tegen Gina gehad. Ze had haar de schuld gegeven, maar nu bleek alles toch wel enigszins anders te liggen dan ze altijd had aangenomen.
,,Wil je wat drinken? Je zit hier zo alleen." Ze had Gina niet horen aankomen, de blauwe ogen straalden haar vriendelijk tegemoet. Stefanie had altijd aangevoeld dat de vriendin van haar vader graag met haar, de dochter, op goede voet wilde staan.
,,Ik heb maar vast een glas vruchtensap voor je meegebracht."
,,Dank je."
De andere vrouw ging naast haar zitten. ,,Heb je ruzie met Carl?"
,,Hoezo?"
,,Omdat hij is weggegaan."
,,Ik heb geen ruzie met hem, maar hij had heel goed door dat ik alleen wilde zijn. Hij vertelde mij zojuist dat jullie al een verhouding hadden toen mijn moeder nog leefde. Dat was nogal een klap voor me. Ik was namelijk veel bij haar die laatste weken. Als ik daaraan terugdenk en ook hoe lief hij toen voor haar was, word ik ziek van al dat bedrog."
,,Hij had het niet moeten zeggen. Wat heeft het voor zin?"
,,Misschien was hij van mening dat ik eindelijk de waarheid moest weten. Ik had min of meer kritiek op het feit dat jullie zo snel bij elkaar gingen wonen. Jullie wachtten al zo lang heb ik inmiddels begrepen. Moeder deed er inderdaad lang over. Ik dacht dat er geen eind aan haar lijdensweg zou komen."
,,Het was bijzonder tactloos van hem dit te vertellen."
,,Tact, praat jij over tact? Terwijl je geen enkel bezwaar had

een vrouw haar man af te pikken, terwijl de vrouw in kwestie doodziek was. Over de dochter praat ik maar niet eens. Zij was overigens ook haar vader kwijt."
,,Haar ziekte openbaarde zich pas toen wij elkaar al kenden."
,,En toen? Hebben jullie toen hoopvol de prognose afgewacht. Hebben jullie het gevierd met een etentje, toen je hoorde dat ze niet meer beter zou worden?" Haar stem brak.
,,Stefanie, ik begrijp dat je gekwetst bent, maar zo is het niet gegaan. Je moeder had je vader zelf aangeraden snel bij mij in te trekken omdat hij nu eenmaal geen man is om alleen te zijn. Zij wist van ons. Ik bewonderde haar om haar houding."
,,Zij verdiende dan ook bewondering, in tegenstelling tot jullie. Sta je er wel eens bij stil dat mijn vader jou hetzelfde kan behandelen als hij indertijd mijn moeder deed? Hij kan op dit moment iemand anders hebben zonder dat jij ervan weet."
,,Ja, ik sta daar zelfs heel vaak bij stil. Ik hoop dat er nooit meer een vrouw komt die zo hopeloos van hem gaat houden als ik."
Stefanie staarde de tuin in zonder iets te zien. Zo zou zij niet kunnen leven. Altijd in onzekerheid of je partner wel trouw was. Richard was ook zo. Met een schok dacht ze aan Richard. Was zijzelf er niet heel dicht bij geweest tussen hem en zijn vrouw te komen? Het feit dat Richard haar niet over zijn huwelijk had ingelicht, was nauwelijks een excuus. Toen ze eenmaal wist dat Richard een vrouw en kinderen had, had ze niet onmiddellijk met hem gebroken. Ze had hem zelfs gevraagd een scheiding te overwegen. Waarom was haar oordeel over Gina dan zo scherp? Eerlijk als ze was, moest ze direct haar excuus maken.
,,Het spijt me, ik heb het recht niet jou te veroordelen. Eigenlijk moest ik blij zijn dat mijn vader jou heeft, zodat hij waarschijnlijk behoed wordt voor allerlei affaires met vrouwen."
Ze keken elkaar aan en beiden dachten hetzelfde. Deze man moest beschermd worden tegen zijn eigen zwakheid.
Een man als Thomas zou waarschijnlijk nooit naar een andere vrouw kijken. Dat moest een geruststellende gedachte zijn voor de vrouw die van hem hield. Zeker als de vrouw in kwestie een en ander had meegemaakt in de vorm van ontrouw door mannen die haar na stonden.
Het weer werd geleidelijk warmer. Stefanie was veel buiten. Ze voelde zich al een stuk beter. Toch wist ze nog steeds niet hoe te

handelen als ze eenmaal weer terug was in Nederland. Waarschijnlijk kon ze wel tijdelijk bij Francine intrekken, maar dat was ook geen oplossing.
Haar vader drong erop aan dat ze de hele zomer zou blijven en ze kreeg het idee dat ze in deze omgeving toch zou kunnen wennen. Haar ontslagbrief naar het ziekenhuis was inmiddels weg. Ze wilde ook geen oproepkracht meer zijn, maar iets heel anders gaan doen. Alleen was haar nog niet duidelijk wat dat zou worden. Het was trouwens de vraag of ze te kiezen had.
Ze kreeg van Thomas en de kinderen oppervlakkige brieven en schreef even nietszeggende velletjes terug. Jasper vroeg haar enkele malen gauw terug te komen, 'omdat Bartje haar zo miste'. Ze kreeg de indruk dat de andere twee vastbesloten waren haar vrij te laten. Maar toen Thomas haar liet weten dat hij weer hulp had, werd ze enigszins onrustig. Natuurlijk, het was begrijpelijk. Hij kon het alleen niet aan en zíj wilde die hulp immers niet zijn. Als ze had geweten wie er in zijn huis was, had dit haar hoogstwaarschijnlijk nog meer dwars gezeten.

Stefanie was twee weken geleden vertrokken en de sfeer in het huis aan de gracht was er zeker niet op verbeterd. Jasper was dwars en moeilijk te hanteren. Thomas voelde zich een vreemdeling in zijn eigen huis. Alleen Nicole scheen in haar element. Ze hielp waar ze kon, beweerde steeds dat ze het gezellig vond zo met zijn drieën.
Toen Thomas een keer uit school naar huis liep, hoorde hij opeens zijn naam roepen. Hij draaide zich snel om en zag haar aankomen, de blonde haren op en neer dansend, de blauwe ogen vrolijk.
,,Nee maar, Andrea! Wat zie je er goed uit."
,,Ik ben enkele weken geleden uit de kliniek ontslagen. Het gaat nu weer goed met me. Zullen we iets drinken? Koffie natuurlijk." Haar ogen glinsterden ondeugend.
Thomas besloot zijn zorgen even te vergeten en ging met haar op een terras aan de gracht zitten.
,,Dat was me toen een situatie bij jou. Ik liet me wel van mijn slechtste kant zien. Heb je inmiddels een goede hulp?"
Thomas vertelde dat er een werkster kwam. Hij zei ook iets over Stefanie, maar bleef zeer terughoudend. Stefanie was zo heel anders dan dit luchthartige persoontje, die met humor ver-

telde over haar verblijf in de kliniek alsof ze een gezellige vakantie had meegemaakt.
Dan zuchtte Andrea diep. ,,Het is heel moeilijk werk te vinden met deze achtergrond. Ik heb geen enkele aanbevelingsbrief. Tom, als ik jou nu eens kom helpen tot die ander terug is, schrijf jij dan zo'n briefje voor me? Je hebt immers hulp nodig zolang die ander niet genezen is teruggekeerd."
Na wat heen en weer gepraat, stemde Thomas uiteindelijk toe. Tot zijn verbazing accepteerde Nicole heel gemakkelijk, terwijl Jasper woedend werd.
,,Nu komt Stefanie dus nooit meer terug. Je hebt nu iemand anders," zei hij die avond half huilend.
,,Andrea blijft niet voorgoed," antwoordde Thomas kalm.
,,Natuurlijk blijft ze niet. Niemand blijft. Iedereen gaat altijd weer weg."
Thomas zag geen kans zijn zoon te troosten. Enkele keren vond hij Jasper op Stefanies kamer, samen met Bartje. Hij liet het dan maar zo, want als hij íets kon begrijpen, was het wel Jaspers heimwee naar het levendige donkerharige meisje.
In de kamer had hij enkele meubelstukken verplaatst en op een keer bracht hij Hetty's regenjas naar de kast op de slaapkamer die nog vol hing met haar kleren. Hij staarde naar de vrolijke zomerkleding, de sweaters en jasjes, en merkte dat hij voor het eerst kon kijken zonder dat de tranen hem in de ogen sprongen. Hij glimlachte weemoedig toen hij de roodgestreepte blouse zag hangen die Hetty had gedragen toen ze op hun trouwdag waren gaan eten. Was het onderhand geen tijd dat hij al deze kleren naar de zolder verhuisde? Ineens werd zijn blik getrokken naar een groene zonnejurk met stippeltjes. In de zomer voor haar dood had ze deze jurk gedragen. Een keer waren ze er samen op uit getrokken, de kinderen waren die dag bij zijn ouders. Ze hadden besloten naar de kust te gaan. Het was een warme dag geweest. Een succes was het niet geworden. Ze hadden geruime tijd in de file gestaan en lang gezocht naar een parkeerplaats. Toen ze eindelijk moe en warm een plekje op het strand hadden gevonden was Hetty prikkelbaar en een tikje ongenaakbaar.
Toch waren ze heel lang gebleven, zo lang tot het rustig was op het strand. Dromerig hadden ze naar de zee gekeken en hij had haar blote schouder gestreeld. Het was of hij de opwinding van

toen weer voelde. Ineens had Hetty zich losgerukt. ,,Niet hier, Thomas. Stel je voor dat er iemand komt." Driftig had ze de bandjes van haar jurk op zijn plaats geschoven. ,,Waarom moet je altijd alles bederven," beet ze hem toe.
Ze had de broze, tedere stemming stukgeslagen. Zoiets overkwam hem wel vaker, want zelfs het vrijen moest bij Hetty volgens bepaalde regels.
Thomas schrok van zijn eigen gedachten. Hoe kwam hij daarop? Waarom dacht hij de laatste tijd vaker aan eigenschappen van Hetty die minder prettig waren geweest? Was dit een soort van verontschuldiging omdat hij zo vaak aan Stefanie moest denken. Toch kon hij zich voorstellen dat Stefanie onder dergelijke omstandigheden, zoals toen met Hetty op het strand, anders zou reageren. Dat er ruimte zou zijn voor verrassing, voor onverwachte gebeurtenissen. Hij sloot de kastdeur, draaide zich om en keek recht in het gezichtje van zijn dochter die op dat moment zo sprekend op Hetty leek dat het hem een lichamelijke schok gaf.
,,Wat doe je?" Zelfs haar toon was een tikje afkeurend, alsof ze hem betrapte bij ongeoorloofde zaken.
,,Ik vroeg me af of we mamma's kleren niet weg moeten doen," reageerde hij zo nonchalant mogelijk.
,,Weg? Bedoel je in de vuilnisbak?"
,,Nee, nee, ik bedoel op de zolder. Daar hebben we ruimte genoeg."
,,Heb je daarom haar regenjas weggehaald en de kamer veranderd? Je wilt alles van haar nu echt weg hebben."
Thomas zuchtte. ,,Lieverd, als jij erop staat dat die kleren hier blijven, laat ik ze nog wel hangen. Maar niet meer haar jas aan de kapstok."
,,Soms zie ik haar ineens zo duidelijk voor me met die jas aan."
,,Nicole, mamma is meer dan twee jaar dood. Je zult haar nooit vergeten, maar je moet proberen verder te leven. Dat moet ik ook. Het is moeilijk maar soms denk ik toch dat het beter gaat."
,,Jij hebt haar toen gezien, je weet heel zeker dat ze dood is. Ik was op de begraafplaats en er was niets. Ik heb niet eens afscheid genomen. Die middag toen ze wegging, hadden we ruzie. Ik mocht Cissy niet te logeren vragen en ik was heel kwaad. Toen ze wegreed, stak ik mijn tong uit. Dat heeft ze niet gezien, dat weet ik zeker, maar..." Hierop begon Nicole te huilen.

Thomas trok zijn dochter tegen zich aan.
,,Misschien was ze wel kwaad omdat ik weer iets wilde doordrijven. Misschien zag ze daarom die auto wel niet. Het was vast mijn schuld," snikte zijn dochter.
,,Het was jouw schuld niet, dom kind. Wie denk je wel dat je bent dat je de schuld van dat ellendige ongeluk op je wilt nemen. Niemand is daar schuldig aan, behalve de weersomstandigheden. Ik weet trouwens zeker dat mamma niet boos was, dat was ze immers nooit. Ze was dol op jullie tweeën. Waarschijnlijk zou ze later tegen je gezegd hebben: 'Nou, vooruit, laat Cissy dan maar komen'."
Thomas wist bijna zeker dat het zo zou zijn gegaan, want hoewel Hetty niet graag de regelmaat in haar leventje verstoord zag, wilde ze toch dat de kinderen het zo plezierig mogelijk hadden. Ze wilde een ideale moeder zijn.
,,Kom meisje, ik denk dat Andrea wacht met eten."
Hij stond op en ging samen met Nicole naar beneden.
Natuurlijk viel het Jasper onmiddellijk op dat Nicole gehuild had. ,,Wat is er?" siste hij.
Nicole reageerde niet en Jasper onderwierp de maaltijd aan een kritisch onderzoek.
,,Waarom heb je witlof? Je weet best dat ik dat niet lust."
,,Dan leer je het maar lusten," reageerde Andrea geïrriteerd.
,,Jij denkt er nooit aan wat ik lust." Jaspers boze ogen daagden haar uit.
,,Ik heb meer te doen dan aan kleine jongetjes te denken."
,,Pappa, als zij hier blijft, loop ik weg," wendde Jasper zich dan dramatisch tot zijn vader.
,,Eet dan wel eerst je bord leeg. Op een lege maag kun je niet weggaan," bromde Thomas die dit dreigement van zijn zoon niet serieus nam.
Toen ze enkele uren verder waren, begon hij zich echter af te vragen of hij dit niet beter wél had kunnen doen. Jasper was spoorloos verdwenen. Na diverse vriendjes te hebben gevraagd, belde hij de politie die hem vriendelijk aanraadde rustig af te wachten.
,,Negenennegentig van de honderd kinderen die wegliepen kwamen vanzelf weer terug."
,,En dat ene kind?" vroeg Thomas scherp.
,,Dat ene kind? O, meneer wil leuk zijn. Dat ene kind komt ook

terug, alleen duurt het soms wat langer. Uw zoon is tien jaar, gaat alleen naar school zegt u. Zo'n joch kan zich best redden. Als hij er morgen niet is, belt u dan nog maar eens."
Thomas liep de stad door en kwam op alle plaatsen waar hij wel eens met de kinderen was geweest. Even dacht hij aan de begraafplaats, verwierp dit dan als absurd. Jasper was veel minder met zijn moeder bezig dan Nicole. Jasper had heimwee naar Stefanie. Trouwens, hij niet alleen.
Toen Thomas weer thuiskwam, zat Nicole bij Andrea in de keuken. ,,Ik heb nu mijn koffer gepakt," zei de laatste. ,,In zo'n hysterisch gezin kan ik niet leven."
Het kon Thomas op dat moment allemaal weinig schelen. ,,Je doet maar. Je verblijf hier heeft ons weinig positiefs gebracht, maar ik stuur je wel een aanbevelingsbrief als je dat wilt."
,,Positief zeg je. Daar moet jij het nodig over hebben. Jij ziet iets positiefs nog niet als je ertegenaan loopt. Ik kan me voorstellen dat iedereen hier de benen neemt. Wanneer gaan jullie eindelijk weer normaal doen. Ik geef je niet veel hoop dat die andere terugkomt. Een mens kan hier niet ademen."
Thomas was aan tafel gaan zitten met een blocnote voor zich. ,,Als je zo doorgaat, kan ik geen brief schrijven."
,,Zal ik eens wat positiefs opnoemen? Je kunt schrijven dat ik het heb uitgehouden onder de meest moeilijke omstandigheden. In een huis waar geesten ronddwalen en zonder enige medewerking van wie dan ook."
Plotseling sloeg Thomas met zijn vuist op tafel. ,,Zo is het wel genoeg. Ik zal die brief wel per post versturen."
Andrea verliet de keuken zonder te groeten en even later hoorden ze de voordeur dichtslaan.
,,Wat bedoelt ze met dat hier geesten zijn?" vroeg Nicole.
,,Ze bedoelt dat ze overal dingen tegenkomt van mamma, terwijl zijzelf er niet meer is. En..." Hij werd onderbroken door een klaaglijk gemiauw van Bartje.
,,Wie zorgt er voor de poes als Jasper weg is?" vroeg Nicole.
Thomas klemde zijn lippen opeen. Over iets positiefs gesproken. Nicole ging er gelijk maar van uit dat haar broertje voorlopig niet terugkwam. Hij beklom de trap, opende de deur van Stefanies kamer en zag zijn zoon op de bank liggen, diep onder het dekbed. De kat glipte langs hem de trap af regelrecht naar de keuken waar zijn etensbakje stond.

,,Jongen toch, ik was vreselijk ongerust.''
Het kind hees zich wat overeind. ,,Ik was eerst buiten, maar toen ben ik teruggekomen.''
Op een moment dat niemand er iets van had gemerkt, dacht Thomas. Het was ook maar toevallig dat hij in Stefanies kamer keek.
,,Andrea is weg,'' zei hij, Jasper door het haar woelend. Waarschijnlijk was dit niet erg pedagogisch. Volgens bepaalde opvoedkundigen zou Jasper nu voortaan onderduiken als hij zijn zin wilde hebben. Ach, hij zou maar aannemen dat Jasper op dit moment geen andere mogelijkheid had gezien. Tenslotte was hij weer terug en dat was het belangrijkste.
,,Komt Stefanie weer?'' Hoopvol keek het kind hem aan.
,,Weet je wat ik doen zal? Ik ga het haar vragen. Het is volgende week paasvakantie. Als jullie dan naar oma gaan, ga ik Stefanie opzoeken.'' Het idee kwam ineens bij hem op en toen hij Jaspers opgeluchte gezichtje zag, wist hij dat hij niet meer terugkon.
Nicole nam het nieuws echter zeer gereserveerd op. ,,Ik begrijp niet waar dat voor nodig is. Ze is zelf weggegaan.''
,,Ik weet niet eens of ze wel terug wíl komen. Maar ik hoop het wel,'' zei haar vader. Er was iets in zijn stem dat haar deed opkijken.
,,Ben je soms verliefd op haar? Het kon je helemaal niets schelen dat Andrea wegging. Nou, Stefanie kookte heus niet veel beter. Ik begrijp niet dat jij vrouwen met donker haar leuk vindt.''
,,O, Nicole, jij wilt alleen maar dat alles weer wordt zoals vroeger.'' Toen hij het gezegd had, wist hij dat dit de verkeerde woorden waren.
,,Het kan nooit meer zo worden als vroeger. Mamma is er niet meer. Ik wil niet dat jij hier met een vreemd mens gaat wonen. Jij wilt mamma gewoon vergeten, je wilt net doen of ze nooit heeft bestaan.''
Thomas schudde machteloos zijn hoofd, verliet de kamer en sloot zich op in zijn eigen vertrek. De woorden van zijn dochter kwamen hard aan. Wilde hij Hetty vergeten? Hoe zou dat ooit kunnen. Maar hij wilde alle ellende en eenzaamheid wél vergeten. Hij was zevenendertig jaar. Moest hij omwille van zijn dochter zijn verdere leven alleen blijven?

Er werd niet meer over het onderwerp gesproken. Ook Jasper was zo verstandig de naam Stefanie niet meer te noemen na een woedende uitval van Nicole. Ze besloten Bartje in een dierenpension te doen hoewel Jasper medelijden had omdat hij werd opgesloten. Het was echter nogal ingewikkeld de poes mee te nemen naar de Veluwe, daarbij was de kans dat ze zou weglopen groot, omdat ze de omgeving niet kende.
Thomas bleef ook enkele dagen bij zijn ouders, maar er was een enorme rusteloosheid in hem gevaren. Hij vertelde zijn ouders dat hij Stefanie ging opzoeken en toen zijn moeder doorkreeg dat dit bezoek voor het meisje in kwestie een complete verrassing zou zijn, maakte ze een veelbetekenend geluid.
Thomas reageerde er niet op, maar hij was opgelucht toen hij kon vertrekken. Hij had tien dagen vakantie, maar hij verwachtte dat de reis twee dagen in beslag zou nemen, vooral omdat de route hem vreemd was. Maar uiteindelijk vertrok hij met het gevoel dat hij met zijn huis en zijn kinderen ook de herinnering aan zijn vrouw achter zich liet.

HOOFDSTUK 7

Stefanie was veel buiten. Soms hielp ze haar vader in de tuin, een andere keer ging ze naar het dorp voor boodschappen, maar ze maakte ook iedere dag lange wandelingen.
Er was in deze omgeving nog zoveel ongerept gebied, paadjes die door de heuvels slingerden, onverwachte watervallen en vreemde bijna exotisch aandoende bloemen en vlinders. Ze voelde zich weer helemaal in orde en eigenlijk was er geen enkel excuus om nog langer te blijven, behalve misschien dat Gina steeds zei dat ze het zo fijn vond dat ze er was. Met haar vader bleef het contact oppervlakkig. Ze kon hem nog steeds niet anders zien dan als een ijdele man die zichzelf zeer geslaagd vond, zowel in zijn uiterlijk, zijn vroegere werk, als in zijn eerdere en bestaande relaties.
Die middag had Stefanie een wandeling dwars door het bos genomen. Het was een heldere zonnige dag, de zon scheen door de bomen die nog niet helemaal in blad waren. Ze had zich aan-

gewend af en toe een eind hard te lopen en daar was ze nu ook mee bezig toen ze voetstappen achter zich hoorde. Zonder om te kijken verhoogde ze haar tempo. De persoon achter haar blijkbaar ook.
Stefanie was ineens bang. Het mocht dan geen uitgestrekt bos zijn, in dit tempo duurde het nog minstens tien minuten voor ze eruit was. Ze kwam hier nooit iemand tegen, ook geen joggers, dus deze persoon moest haar hebben gezien en was haar toen bewust gaan volgen. Vast niet met goede bedoelingen. Misschien was het wel die persoon die ze enkele malen in het plaatselijk café had gezien. Hij zat haar altijd zo intens op te nemen. Al deze gedachten speelden door haar hoofd, terwijl ze voortholde. Maar ze zou het niet lang meer kunnen volhouden, want bij de vermoeidheid kwam nu ook de angst. Het hart bonsde haar in de keel, haar mond was kurkdroog. Nog steeds had ze niet omgekeken, elke seconde telde immers. Want wie hij ook was, hij kwam onmiskenbaar dichterbij. Ineens voelde ze een hand om haar elleboog. Ze trapte woest achteruit. De man struikelde en sleepte haar mee in zijn val. Ze wilde zich los worstelen, twee armen hielden haar tegen. Ze probeerde te gillen, maar er kwam alleen een schor gepiep uit haar keel.
,,Allemachtig, Stefanie, houd hiermee op."
De man liet haar los en dwaas bleef ze zitten. Ze staarde Thomas aan, wreef over haar voorhoofd, schudde haar hoofd. ,,Dit kan niet waar zijn," hijgde ze.
Ook Thomas was buiten adem en zo zaten ze elkaar even zwijgend aan te kijken. Zij was nog steeds het meisje dat hij zich herinnerde; tenger, het donkere haar op een staart gebonden, gekleed in een joggingbroek en een T-shirt.
Stefanie begon opeens te lachen. Thomas die in zijn nette pak met stropdas meer dan een kilometer achter haar aan was gerend en nu op de bosgrond zat, deed haar gevoel voor humor bovenkomen. Ze krabbelden nu overeind, liepen langzaam en nog steeds hijgend verder tot de plaats met uitzicht op de helling en diep beneden hen een helder meertje. Het stenige pad begon nu te dalen maar Stefanie ging weer zitten en Thomas volgde haar voorbeeld.
,,Daar ben ik dus," zei hij tamelijk overbodig.
,,Dit had ik nooit verwacht. Waarom ben je helemaal hier naartoe gekomen en hoe heb je mij gevonden?"

,,Je laatste vraag is het eenvoudigst te beantwoorden. Ik had je adres en je vader vertelde mij waar je waarschijnlijk was. Ik wilde gewoon niet wachten tot je thuiskwam. Je vader zei dat je wel blij zou zijn mij te zien." Het klonk tamelijk hoopvol.
,,Ik begrijp niet waar hij zich mee bemoeit," mompelde Stefanie. ,,Thomas, waarom kwam je hierheen?"
,,We missen je. Ik wilde je vragen of je terugkomt."
,,Terugkomen doe ik zeker. Eigenlijk heb ik erover nagedacht ergens anders een kamer te zoeken. Je wilt dus dat ik weer in jouw huis kom wonen."
,,Ik... ik mag je bijzonder graag, Stefanie. Ik geloof dat ik van je houd. Toch durf ik je niet te vragen met me te trouwen. Ik, een weduwnaar met twee kinderen, waarvan de ene het absoluut niet prettig vond dat ik hierheen vertrok. Ik zeg het je maar eerlijk. Dan is er ook nog het feit dat ik nogal wat ouder ben. Tien jaar om precies te zijn."
,,Je begint gelijk over trouwen, dat is toch helemaal niet aan de orde. Als je hier eens een tijdje bleef, Thomas? Wij hebben elkaar eigenlijk alleen ontmoet in Hetty's huis. Laten we net doen of jij geen verleden hebt."
,,Hoe zou dat kunnen? Je moet mij nemen mét mijn verleden. Een man wiens vrouw is verongelukt en die hopeloos eenzaam is."
,,Het gaat erom: wil je mij als partner of als oplossing voor je eenzaamheid?"
Hij legde een arm om haar heen. ,,Je praat er zo kalm over, Stefanie. Ik kom helemaal hier naartoe, ik heb hartkloppingen nu ik bij je ben."
Ze glimlachte. ,,Dat is vast nog van het hardlopen. Weet je, Thomas, je overvalt mij nogal. Laten we naar huis gaan, dan kun je kennis maken met Gina en met mijn vader."
Toen hij naast haar voortliep, voelde Thomas zich op de een of andere manier teleurgesteld. Hij wist niet precies wat hij had verwacht, ja, misschien toch wel, hij had gehoopt dat ze hem in zijn armen zou vallen.
Stefanies vader zat in de tuin en vroeg Thomas hoe de reis was verlopen. Stefanie glipte naar binnen. Ze vond Gina in de keuken bezig. Glimlachend keek de oudere vrouw haar aan.
,,Hij is een heel aardige jongeman. Een beetje verlegen, maar uiterst beschaafd."

,,Waarom komt hij zo plotseling hierheen, dat had ik nooit van hem verwacht. Ik weet niet wat ik hiermee aan moet.''
,,Laat de dingen even op zijn beloop. Ik heb begrepen dat hij een week vakantie heeft.''
,,Had hij niet eerst kunnen bellen wat ik ervan vond? Iemand voor een voldongen feit stellen, noemt men zoiets. Daar houd ik helemaal niet van.''
,,Welk feit dan, liefje? Je houdt immers van hem. Toe, spreek me niet tegen. De vertederende manier waarop je over hem praatte, het medelijden dat je met hem hebt en daarbij ook de irritatie dat hij nog steeds met het verlies van zijn vrouw bezig is. Dat alles heeft me duidelijk gemaakt dat jij van deze man houdt.''
,,Je denkt me wel goed te kennen.''
,,In de regel maak je van je hart geen moordkuil,'' glimlachte Gina.
,,Nou, we zullen zien. Ik ga douchen. Wijs jij Thomas de logeerkamer?''
,,Misschien wil hij ook douchen. Hij ziet er verhit uit.''
Stefanie proestte het eensklaps uit. ,,Hij rende anderhalve kilometer achter mij aan. Ik dacht dat er een enge vent achter mij aan zat.''
Gina lachte mee. ,,Die arme man. Hij ziet er absoluut niet eng uit.''
Stefanie volgde Gina's blik naar de tuin waar Thomas zat, geduldig luisterend naar haar vader over de route die hij gevolgd had.
,,Je hebt gelijk. Hij is zeker niet eng,'' glimlachte ze.
Zoals gebruikelijk en naar Franse gewoonte had Gina een uitgebreide maaltijd klaargemaakt. Aan tafel moest Stefanie steeds naar Thomas kijken. Hij had zich verkleed en droeg nu een lichte pantalon met een shirt. Zijn haar was nog vochtig van het douchen. Soms vingen zijn grijze ogen haar blik op en dan lachte hij even. Hij praatte niet veel, evenmin als Gina. Zoals gewoonlijk was haar vader veel aan het woord, vroeg Thomas' mening over allerlei zaken, maar bleef intussen doorpraten, wachtte niet tot Thomas een antwoord had geformuleerd.
Ineens zei hij: ,,Ik heb begrepen dat je je vrouw hebt verloren. Dat moet een zware slag zijn geweest.''
Thomas knikte alleen.

,,Ben je er nu zo'n beetje overheen?"
Stefanie hield haar adem in. Thomas leek te aarzelen. ,,Wat zal ik zeggen. Ik mis haar nog steeds, maar soms merk ik dat ik een halve dag niet aan haar heb gedacht."
,,Het is toch al ruim twee jaar geleden," ging Carl Berkhof door.
,,Ik weet niet of er een vaste tijd staat voor het verwerken van een verlies. Ik had een goed huwelijk," zei Thomas waardig.
,,Juist ja. Ik vind niet dat Stefanie op deze basis..."
,,Vader!" viel zijn dochter hem scherp in de rede.
Gina begon tactvol over iets anders. Ze stelde voor dat ze die avond het dorp zouden ingaan om die typisch Franse sfeer te proeven. Uiteindelijk vertrokken alleen Gina en Stefanies vader, omdat Thomas zeer gedecideerd meedeelde met Stefanie te willen praten. Op dat moment zag Stefanie ineens de leraar in hem en ze begreep dat ze veel van zijn eigenschappen niet kende, omdat ze verborgen waren geweest onder zijn verdriet.
,,Laten we op het terras gaan zitten," stelde ze voor toen haar ouders weg waren.
Het was een zachte avond, echter pas april. Mocht het te koel worden dan konden ze zich in de kamer terugtrekken.
,,Vertel eens hoe het met de kinderen gaat," vroeg ze aan de ene kant echt belangstellend, anderzijds de aandacht bewust op iets anders richtend dan op haar persoontje.
Thomas vertelde van Jaspers weglopen en dat het kind regelmatig in Stefanies kamer te vinden was.
,,Jasper begint zijn moeder te vergeten. Vorig jaar zou ik misschien geprobeerd hebben de herinnering levend te houden. Nu denk ik dat het beter zo is."
Thomas vertelde ook over Andrea. ,,Ik kon niet aan haar wennen. Ze zegt altijd precies de verkeerde dingen op de verkeerde momenten. Toch heb ik een aanbevelingsbrief voor haar geschreven. Ze heeft zoveel moeite werk te vinden."
,,Het schijnt dat je weer aandacht krijgt voor andermans moeilijkheden," merkte Stefanie een tikje ironisch op.
,,Ja, ik denk bijvoorbeeld ook vaak aan jou."
Stefanie verkoos deze opmerking te negeren. ,,En Nicole?"
,,Nicole accepteert niemand op haar moeders plaats."
,,Dat was me al opgevallen. We moeten haar zeker niet forceren, Thomas."

Dan begon ze over iets anders, vertelde over haar verblijf in deze streek, zei dat Francine haar regelmatig schreef en nu beloofd had enkele dagen te komen. ,,Dus ik ga niet met jou terug. Wat dat betreft kan Nicole gerust zijn."
Ze stond op en liep de treden van het terras af. Thomas volgde haar de tuin in en greep haar bij de arm. ,,Je loopt voor me weg. Niet zoals vanmiddag, maar ik heb nu het gevoel dat je me geestelijk ontvlucht. Waarom, Stefanie? Ik moet al de hele avond naar je kijken, ik zou je in mijn armen willen nemen, ik zou je..."
,,Zullen we het hierbij laten?" vroeg ze droog. ,,Thomas, ik wantrouw je liefde een beetje. Thuis heb je de woning, die mooie kamer door Hetty ingericht. Je mist je vrouw, maar mis je mij? Je kent mij nauwelijks."
,,Of ik je ken! Ik waardeer je eerlijkheid, je kalmte. Toen je ziek was, werd ik verscheurd door angst dat ik je zou verliezen. Laat me niet langer alleen, Stefanie."
Ze zweeg en staarde de donkere tuin in. Er was niets te horen dan het gescharrel van nachtdiertjes. Een zuchtje wind deed af en toe de bladeren ritselen.
,,Laten we deze week veel samen zijn," zei hij eindelijk.
Eenmaal in bed kon ze niet in slaap komen. Waarom aarzelde ze? Ze hield van Thomas. De kinderen? Ze zou ook van Jasper kunnen houden. Nicole zou meer moeite kosten. Moest ze zich door zo'n jong kind laten beïnvloeden? Toch was ze bang. Bang om in dat huis te wonen waar Hetty nog steeds aanwezig was. Voortdurend zou ze met háár worden vergeleken. Alles in dat huis herinnerde immers aan de moeder van de twee kinderen. Die volmaakte vrouw en moeder was nog steeds bij hen, in hun gedachten, in hun herinnering. Daar kon zij nooit tegenop. Zou Thomas werkelijk zijn vrouw kunnen vergeten? Ze was zelfs onzeker zich door hem te laten kussen, vroeg zich af of hij haar dan in stilte vergeleek met Hetty. Moest ze nu jaloers zijn op een dode? Ze wist in theorie dat het verkeerd was alles van Hetty uit het huis weg te willen hebben. Maar ze kon er niet tegen in die kamer te zijn en steeds Hetty's portret te zien. Dat was niet te negeren. Het leek of die blauwe ogen haar voortdurend volgden, haar overal in de gaten hielden of ze alles wel goed deed.
Ze vond het moeilijk om tweede keus te zijn.

,,Dat zie je nou helemaal verkeerd," zei Gina de volgende dag. ,,Het zou anders zijn als Thomas uit jullie tweeën eerst Hetty had gekozen en nu bij jou terug kwam. Toen zij trouwden, was jij nog bijna een kind. Zet nu alle bijgedachten eens opzij en probeer blanco tegenover hem te staan."
Stefanie deed de komende dagen haar best de raad van Gina op te volgen. Ze maakten veel tochtjes in de omgeving zowel met de auto als lopend. Thomas deed geen enkele poging haar aan te raken.
De tweede dag dronken ze koffie in het plaatselijk café en toen zat de man er weer. Hij liet geen oog van Stefanie af. Hij scheen zich er niet aan te storen dat ze nu een begeleider had. Het begon Thomas ook op te vallen.
,,Waarom kijkt die vent zo?"
,,Als je daarachter zou kunnen komen, zou ik dat bijzonder prettig vinden. Hij doet dit namelijk steeds als ik hier kom," antwoordde Stefanie.
Thomas dronk snel zijn koffie. Hij wilde duidelijk weg. Hij is jaloers, dacht Stefanie vermaakt. Het deed haar toch goed. Ze besloot dit gevoel nog een beetje aan te wakkeren. ,,Iedere keer als ik in het dorp moet zijn, kom ik hem wel ergens tegen. Het lijkt wel of hij op me wacht."
,,Je hoeft toch niet in het dorp te zijn."
,,Natuurlijk wel, ik ga elke dag naar de bakker. Ik blijf niet weg omdat er een man is die belang in mij stelt."
,,Je vindt het leuk."
Ze hoorde de opkomende boosheid in zijn stem en kreeg iets roekeloos over zich. ,,Aandacht is altijd leuk. Ik ga hem nu vragen wat hij eigenlijk wil." Ze liep op de Fransman toe die onmiddellijk galant opstond.
,,Kent u mij ergens van?" vroeg ze in het Frans.
Er volgde een stortvloed van woorden met welsprekende gebaren en ze begreep uiteindelijk dat de man schilder was en haar portret wilde maken. Toch wel enigszins gevleid maakte ze een afspraak voor de week daarop. Ze wist zijn atelier te vinden, dacht ze. Met veel hoffelijke woorden nam de schilder afscheid en ging pas weer zitten toen zij zich had omgedraaid.
Thomas zat niet meer aan het tafeltje, enige francstukken lagen op een schotel. Had hij niet even kunnen wachten? Nu goed, ze wilde niet kinderachtig zijn dus zou ze hem maar achterna gaan.

Hij stond enkele meters verderop tegen een oude waterput geleund. ,,Ik moet met je praten,'' was het eerste wat hij zei.
,,Alweer?''
Hij beende naast haar en ze merkte dat hij woedend was. Dit kon toch niet zijn omdat ze met die schilder had gepraat? Ze liepen tot de rand van het dorp.
Langs de enigszins stijgende weg stonden banken en op één daarvan ging Stefanie zitten. ,,Steek maar van wal,'' zei ze rustig.
,,Waarom doe je zo, Stefanie? Je weet dat ik van je houd en je weet ook wat ik heb meegemaakt. Begrijp je niet dat het een kwelling voor me is jou met een ander te zien?'' Hij ging steeds luider praten.
,,Ten eerste, wij hebben geen relatie met elkaar. Jij kunt mij niets voorschrijven. Maar zelfs al hadden wij dat wel, dan nog zou ik een praatje maken met iemand anders als ik daar zin in had. Stel je voor, terwijl jij er met je neus bovenop zit, zou ik geen woord met een andere man mogen wisselen.''
,,Hetty deed zoiets nooit,'' mompelde Thomas.
Woedend vloog ze overeind. ,,Ik bén Hetty niet. Als je dat niet kunt accepteren, waarom ben je dan gekomen? Ik ben heel anders dan zij was. Het laatste wat ik wil is een tweede Hetty zijn.''
,,Wind je niet op.''
,,Ik wind me op als ik dat wil. De man is schilder, hij wilde een portret van mij maken. Hij vindt dat ik een mooi gezicht heb.''
,,Daarin heeft hij zeker gelijk. Stefanie, ik weet niet wat er over mij kwam. Ik had die vent kunnen aanvliegen.'' Hij legde plotseling een arm om haar heen, drukte haar tegen zich aan. Stefanie weerde hem niet af. Eigenlijk vond ze zijn jaloezie wel vertederend. Als ze dacht aan Richard die zo zeker van zichzelf en van haar was geweest. Trouwens, had het hem wel iets kunnen schelen als ze met een ander was begonnen, vroeg ze zich nu af.
,,Als ik eenmaal van een vrouw houd, ben ik onvoorwaardelijk trouw,'' liet Thomas zich weer horen.
,,Dat weet ik inmiddels. Tot twee jaar na haar dood toe.''
,,Vind je dat verkeerd?''
Ze schudde haar hoofd. ,,Toch maak je het jezelf erg moeilijk doordat je geen liefde meer in je leven durft toe te laten.''
,,Daarmee ben ik bezig, Stefanie. Een ezel die dat niet ziet.''

Gelijktijdig stonden ze op en begonnen de weg op te lopen. Wat verder was het pad dat het bos inleidde naar de waterval. Er was een plaats in de zon waar ze het zicht hadden op het bruisende water, zonder zelf nat te worden.
Stefanie keek naar Thomas. Hij zag er een beetje treurig uit. Zijn handen om de knieën gevouwen, zijn broek nog altijd keurig in de vouw, ging hij voorzichtig zitten en tuurde voor zich uit.
,,Zullen we het water ingaan?" stelde ze voor.
Hij keek haar aan, zijn ogen leken heel donker. Ze was de helling al af, deed haar schoenen uit en rolde haar lange broek op. Thomas volgde en even stonden ze zo, terwijl het gebruis van de waterval ieder ander geluid overstemde. Toen strekte Thomas zijn arm naar haar uit en viel ze tegen hem aan. Natuurlijk verloren ze hun evenwicht, daar kon Thomas' luid: ,,Pas op, wees voorzichtig," niets meer aan veranderen.
Ze krabbelden overeind, maar waren beiden wel drijfnat. ,,Wat nu?" Thomas keek verontrust om zich heen of hij verwachtte dat er ieder moment iemand luid schaterend van tussen het struikgewas tevoorschijn zou komen.
,,Het is hier een prima plaats. Ik leg mijn kleren te drogen. Dat moet jij ook doen."
Natuurlijk kon hij toen niet achterblijven en zo zaten ze even doodstil tot Stefanie een rilling niet kon onderdrukken. Thomas keek haar aan en beiden wisten wat er ging gebeuren. Zijn hand volgde de lijnen van haar lichaam, van haar hals langs haar blote schouders en bleef rusten op haar rug. Ze voelde de warmte in zich omhoog stijgen en glimlachte naar hem.
,,Kan dat... hier?" fluisterde Thomas.
,,Dichter bij de natuur kan een mens niet zijn," fluisterde ze terug.
Hij nam haar in zijn armen en daar op het mos, in de zon, waar woorden werden overstemd door het gebruis van de waterval, beminden ze elkaar.
Later doezelden ze wat in de zon, Stefanie met haar hoofd op zijn arm.
,,Zomaar buiten," mompelde Thomas ineens. ,,Dat zoiets kan gebeuren. Stefanie, ik wilde niet..."
,,Houd je mond," zei ze fel. ,,Je wilde wél en ik ook, dus waag het niet je te verontschuldigen." Energiek stond ze op en liep

naar de steen waarop haar kleren lagen. Rustig begon ze zich aan te kleden, terwijl Thomas naar haar keek.
,,Je bent mooi."
Ze lachte naar hem. ,,Jij mag er ook zijn."
Ineens voelde Thomas zich gelukkig en ontspannen. Hij sprong overeind, was in één stap bij haar en haalde haar naar zich toe.
,,Ik houd van je. Je weet dat je de eerste bent na Hetty tegen wie ik dat zeg."
,,Heb je aan Hetty gedacht?"
Hij schudde zijn hoofd. ,,Slechts even een vluchtige gedachte, zo van dit zou Hetty nooit hebben gedaan, zomaar buiten."
,,Ik ben een kind van de natuur." Stefanie schudde haar donkere haren, de bruine ogen leken hem uit te dagen. Hij lachte en kuste haar steeds weer tot ze zich losmaakte.
,,Je gaat toch met me mee naar huis, nietwaar?"
Ze antwoordde niet direct en toen ze de helling afdaalden, greep ze zijn hand. Langzaam liepen ze terug, passeerden een smal bruggetje, waarbij Thomas zoveel 'voorzichtigs' liet horen dat ze geïrriteerd uitviel: ,,Je doet of we midden in het oerwoud de Amazone moeten oversteken."
,,Je bent nu het kostbaarste dat ik heb," reageerde hij ernstig.
,,Thomas, is dat echt zo? Wel, hier zijn we dan, twee mensen die vàn elkaar houden. Want natuurlijk houd ik ook van jou. Je denkt toch niet dat zoiets als daarnet een gewoonte van me is met allerlei aardige mannen? Maar thuis is het anders. Daar zijn de kinderen en je huis met alles wat daarin staat. Weet je, Thomas, ik ga nog niet met je mee. Over enkele weken kom ik je achterna."
Hij drong niet langer aan en daar was ze blij om. Ze was er nu wel van overtuigd dat ze van Thomas hield. Met hem samenwonen of zelfs trouwen, een moeder voor zijn kinderen zijn, dat was echter een heel andere zaak.
De laatste dagen dat Thomas in Frankrijk was, verliepen in goede harmonie.
Thomas was openlijk naar haar kamer verhuisd, omdat Stefanie weigerde stiekem naar de zijne te sluipen als het donker was. Niemand had er commentaar op, hoewel Gina en haar vader het zeker hadden gemerkt.
Op zaterdagmorgen namen ze afscheid van elkaar. Op het laatste moment kreeg Stefanie nog bijna de neiging van besluit te

veranderen. Thomas zag er naar haar gevoel een beetje verloren uit. Hij vroeg haar echter niets en daar was ze blij om. Ze had zelfs geen datum afgesproken wanneer ze terug zou gaan. Stefanie hoopte dat Thomas de komende tijd alle herinneringen aan Hetty uit zijn huis zou weghalen. Maar ze had het hem niet gevraagd.
,,Hij houdt veel van je. Maar jij bent bang je te binden, is het niet?" vroeg Gina toen de auto uit het zicht was verdwenen.
,,Ik ben bang voor alle herinneringen aan zijn vrouw en voor de vijandigheid van zijn dochter."
,,Soms moet een mens een uitdaging aandurven. In het leven is niets zeker," antwoordde Gina.
De daaropvolgende week ging Stefanie enkele malen poseren bij de Franse schilder die zich als Jerôme voorstelde. Hij werkte in een ruim licht atelier, maakte zowel landschapen als portretten.
Onder het schilderen praatte hij voortdurend over zijn werk, over zijn leven zoals het nu was en over zijn leven van enkele jaren terug. Hij vertelde over zijn vrouw waarvan hij gescheiden was, omdat een gedreven man zoals hij niet geschikt was voor een huwelijk. Hij vroeg haar ook hoe zíj leefde en waar haar vriend was. Hij had iets onbevangens, wat noodde tot confidenties en Stefanie vertelde hem dan ook in enkele zinnen hoe de situatie in elkaar zat.
,,Hij heeft dus al grote kinderen. Je bent zelf nog zó jong."
,,Ik twijfel ook vooral vanwege hen."
De schilder keek haar ernstig aan. ,,Je moet de liefde toelaten in je leven, elke keer als deze zich aandient. Daarvoor zijn we toch op de wereld. Om lief te hebben."
Stefanie glimlachte onwillekeurig. In het Frans klonken deze woorden als een gedicht. Maar ze vertelde hem niet dat ze de liefde inderdaad in haar leven had toegelaten. Misschien zag hij het wel aan haar, want steeds als ze daar zo stil zat, gingen haar gedachten naar Thomas. Zijn eerste aarzelende liefkozingen en zijn toenemende zelfvertrouwen. De blik in zijn ogen waar ze helemaal warm van werd. Ze hadden samen fijne dagen beleefd en soms was ze bang dat de mooie herinneringen daaraan onmiddellijk zouden verbleken als ze het huis aan de gracht weer binnenging.
Enkele dagen later ging ze Francine van het dichtstbijzijnde

station halen. Stefanie zag haar voor de ander haar opmerkte. Haar vriendin zag er een beetje zorgelijk uit. Ze keek zoekend om zich heen. Ze is duidelijk geen jong meisje meer, dacht Stefanie met een schok. Toch was Francine maar drie jaar ouder dan zijzelf. Ze was nu echter gekleed in een keurig mantelpakje en ook dat maakte ouder.
Toen Francine haar in de gaten kreeg, verhelderde haar gezicht. Ze omhelsden elkaar.
,,Foei, wat een reis. Ik ben blij je te zien. Hoe is het nu met je? Je ziet er goed uit."
Jij niet, dacht Stefanie. Je ziet eruit of je hard aan vakantie toe bent en dat niet alleen. Er was iets afwerends om Francine, wat ze vroeger nooit had opgemerkt.
Buiten het station wachtte haar auto, waar ze hier overigens weinig gebruik van maakte. Ze praatten niet veel onderweg. Af en toe maakte Francine een opmerking over de omgeving en daar bleef het bij. Ze was duidelijk vermoeid of er zat haar iets dwars. Uit ervaring wist Stefanie dat het nog onzeker was of Francine haar in vertrouwen zou nemen. Haar vriendin was tamelijk gesloten over persoonlijke aangelegenheden.
Stefanies vader was alleen thuis. Gina was boodschappen doen voor het avondeten. Nu was het Carl Berkhof zeker toevertrouwd een jonge, wat verlegen vrouw op haar gemak te stellen. Stefanie ergerde zich mateloos, vond dat haar vader overdreven deed, maar tot haar verbazing scheen Francine een beetje op te bloeien.
Toen ze wat later weer beneden kwam, had ze zich verkleed in een jeans en een geruite blouse waardoor ze ineens weer jaren jonger leek. Natuurlijk maakte Carl de jonge vrouw uitvoerig complimentjes. Uitslover, dacht Stefanie, met een enigszins beschaamde blik naar Gina, maar deze bleef even rustig en vriendelijk als altijd.
Pas de volgende morgen was er gelegenheid tot praten toen de vriendinnen een eind gingen lopen. Stefanie wist een ruïne van een zeer oude brug, vlak bij een snelstromend riviertje. Ze had met Thomas nagegaan waar het riviertje ontsprong en dat was bij de waterval hoger in de heuvels.
,,We kunnen nog wel eens uitzoeken waar die waterval uiteindelijk begint," lachte ze.
Francine reageerde tamelijk onverschillig. ,,Wat zou dat voor

zin hebben? Alles heeft een begin en een einde, maar wat schiet je ermee op daar alles van te weten. Ook in het ziekenhuis krijg ik voortdurend met het begin en het einde te maken. Van mensen wel te verstaan. Vaak vind ik het allemaal volkomen zinloos."
Stefanie keek haar vriendin enigszins ongerust aan. Ze hadden vaker gesprekken gehad over de zin van het leven. Zoiets was bijna onvermijdelijk als je in een ziekenhuis werkte. Maar nu klonk Francine wel erg depressief.
,,Ik zal me erbij neer moeten leggen dat ik waarschijnlijk nooit een partner vind en dus nooit kinderen krijg. Kinderen geven zin aan je leven, denk ik."
,,Francine, je bent nog niet oud."
,,Toe nou, Stefanie. Je praat vanuit een zelfvoldane positie al ben je je daarvan misschien niet bewust. Je bent leuk om te zien, je hebt al enkele malen een relatie gehad. Maar ik... nooit. Sta je daar wel eens bij stil? Nooit heeft een man me zelfs maar aangeraakt. Vorige week ben ik eenendertig geworden zoals je weet. Ik had bezoek genoeg, maar die avond kwam er niemand zonder partner. Enkelen hadden die vriend of vriendin maar voor die ene avond, maar toch, ik bleef alleen achter. Sorry, ik wil niet zielig lijken."
Stefanie wist even niet wat te zeggen bij deze uitbarsting. Ze wist al lang dat Francine dolgraag een vriend zou willen. Er was echter nooit iemand voor haar geweest. Terwijl zij vóór Richard ook enkele jaren een relatie met een jongen had gehad, was Francine altijd alleen geweest.
,,Neem me niet kwalijk dat ik me even liet gaan."
,,Natuurlijk niet. Ik vind mezelf behoorlijk egoïstisch dat ik daar zo weinig bij heb stilgestaan."
,,Denk nou niet dat ik voortdurend naar een man loop te smachten. Ik zou me waarschijnlijk niet eens meer kunnen schikken naar de grillen van een man," zei Francine met enige zelfspot.
,,Niet iedere man heeft grillen," zei Stefanie. Ze waren aan de oever van het riviertje gaan zitten, op enkele brokstukken van de oude brug. Er was geen levend wezen te zien. Vele klaprozen bloeiden, de vogelgeluiden werden door niets verstoord.
,,En Thomas?" vroeg Francine dan.
Stefanie aarzelde. Het was een beetje moeilijk nu over Thomas

te beginnen, na wat Francine had gezegd. ,,Hij vroeg me met hem mee te gaan. Hij wil dat ik bij hem kom wonen,'' zei ze toch maar.
,,Heb je hem geweigerd?''
,,Niet definitief. Ik houd van Thomas en hij van mij. Als wij slechts met ons beiden te maken hadden, zou ik niet weigeren. Er zijn echter niet alleen de beide kinderen, maar zeker ook zijn overleden vrouw waar ik mee te maken krijg. Toen Thomas hier was, kon hij haar vergeten, maar in zijn huis komt hij haar overal tegen. Alles herinnert hem aan haar, de onvolprezen Hetty! Sorry, zoiets zou ik niet moeten zeggen, maar ik kan er niet mee leven.''
,,Hij zou er beter aan doen te verhuizen.''
,,Eigenlijk wel. Maar zoiets mag ik niet eisen.''
Ze zwegen geruime tijd. Stefanie keek van terzijde naar haar vriendin. Hoe zou het toch komen dat jongens en later mannen, nooit enige aandacht aan Francine hadden geschonken? Er was in Stefanies ogen niets mis met haar. Een kenner als haar vader zou het misschien weten. Maar zoiets zou ze hem nooit vragen. Meneer Berkhof schonk overdreven veel aandacht aan Francine en deze genoot daar duidelijk van. Na het gesprek dat Stefanie met haar vriendin had gehad, kon ze haar niet kwalijk nemen dat ze een beetje op het geflirt van de oudere man inging. Maar ze nam het haar váder wel kwalijk. Hij was duidelijk in zijn element, scheen de gekwetste blik van Gina niet op te merken.
Stefanie dacht haar te troosten door haar in de keuken toe te fluisteren dat Francine nooit een man had gehad.
Gina keek haar somber aan. ,,Zoiets heeft je vader onmiddellijk door. Je moet haar duidelijk maken dat hij het niet echt meent. Dat hij alleen wil bewijzen dat hij nog niet oud is.''
Stefanie vond het echter moeilijk er met Francine over te beginnen, maar toen zij en haar vader er een keer een hele dag op uit trokken, vond ze het te gek worden. Ze ging die avond naar Francines kamer waar deze zich aan het verkleden was om uit te gaan. Eveneens met meneer Berkhof.
,,Begrijp je niet dat je Gina hiermee kwetst? En mij ook. Ik heb lang gedacht dat het me niet kon schelen wat hij uitvoerde. Maar nu heb ik heel erg met Gina te doen.''
,,Jij hebt gemakkelijk praten. Maar ik kan me niet veroorloven

de aandacht van een man af te wijzen. Gina is waarschijnlijk niet boeiend genoeg voor hem. Hij is nog erg vitaal."
Stefanie staarde haar sprakeloos aan. Francine keek in de spiegel onbewogen terug en maakte intussen vakkundig haar ogen op.
,,Je denkt toch niet dat hij het serieus meent, wel?"
,,Omdat Richard een spelletje met jou speelde, hoef je niet te denken dat iedereen zo is. Jij kent je vader nauwelijks, dat kan ook niet van die paar weken vakantie per jaar."
,,Het lijkt wel of je je verstand hebt verloren."
,,Nu, als dat zo is, dan is dat in elk geval een prettige gewaarwording. Ik wens je ook zo'n verstandsverlies toe. Misschien hoef je dan niet meer zo lang na te denken over Thomas' voorstel."
Stefanie had het gevoel dat Francine op dit moment onbereikbaar voor haar was en liet haar alleen. Ze kon zich niet voorstellen dat Francine als een blind paard zou doorhollen. Als ze maar eerst de tijd nam om na te denken.
Stefanie had Thomas een brief geschreven en daarin ook een en ander verteld over het gedrag van haar vader, hoewel ze daar later spijt van had. Ze schaamde zich voor hem. Zijn antwoord was die morgen gekomen.
Thomas was opvallend mild in zijn reactie. 'Er zijn nu eenmaal mensen die niet echt kunnen liefhebben. Probeer er te zijn als je vriendin je nodig heeft, want die tijd komt natuurlijk. Ik mis je heel erg, Stefanie, maar eigenlijk had ik mezelf verboden dit te schrijven.'
Stefanie had lang nagedacht. Hij wilde haar niet vragen terug te komen. Ze zou toch zelf een beslissing moeten nemen. Ze begon namelijk te vermoeden dat ze zwanger was. Maar juist daarom wist ze niet wat te doen. Zou Thomas niet denken dat ze naar hem terugkwam, omdat ze zijn kind verwachtte, dus niet om hemzelf? Zou hij zich niet in een bepaalde richting geduwd voelen nu het ook voor hem geen vrije keus meer was? Ze kon er met niemand over praten, want Gina had duidelijk genoeg aan haar eigen problemen en Francine had al helemaal geen aandacht.
Die avond verdwenen zij en meneer Berkhof; volgens de laatste omdat hij Francine een echte Franse stad wilde laten zien.
,,Ik wil graag dat je bij Gina blijft, ze is niet graag alleen," zei

haar vader voor hij de deur uitging. ,,Dat je dit allemaal neemt," barstte Stefanie los toen ze weg waren. ,,Je moet veel meer vechten, Gina."
,,O nee, daar geniet hij van. Ik, die vecht om hem te houden en die ander om hem te krijgen. Hij gaat heus niet van me weg, Stefanie. Dit huis staat op mijn naam, dat deed hij in een verliefde bui. Uiteindelijk ben ik degene die hier het geld heeft. Dat weet hij. Zonder mij komt hij in de goot terecht, want hij valt in dit land onder geen enkele sociale voorziening. Hij wil nooit terug naar Nederland, ook niet voor een vrouw die twintig jaar jonger is dan ik."
Ze gingen die avond naar bed voor Francine en haar vader terug waren. Ze had absoluut geen behoefte Francines stralende blik te zien en nog minder het gezicht van haar vader, die deed of alles volkomen normaal was. Ze lag echter nog geruime tijd wakker, dacht aan de mogelijkheid van een zwangerschap. Ze had Thomas natuurlijk moeten zeggen dat ze niet beschermd was, maar hem kennende, zou hij waarschijnlijk alle gevoelens weer in de ijskast hebben gezet. In elk geval, voorlopig hoefde niemand nog te worden ingelicht. De volgende morgen vond ze Gina alleen in de keuken. Ze zat aan tafel koffie te drinken.
,,Slapen de anderen nog?" vroeg Stefanie niets vermoedend.
,,Ik zou het niet weten, ze zijn nog niet thuis."
Stefanie staarde de ander aan en wreef over haar voorhoofd of ze een lastig insekt wilde verdrijven. ,,O, Gina."
,,Laten we niet dramatisch doen, lieve. Ook dít is niet de eerste keer."
Het was al na de middag toen ze de auto hoorden. Stefanie zat op het terras. Ze keek naar de beide mensen die op het huis toeliepen. Haar vader op zijn gebruikelijke wat nonchalante manier. Francine zag er niet bepaald gelukkig en ontspannen uit. Ze kwamen regelrecht naar het terras waar ook Gina zich bij hen voegde. Zij had een fles wijn in de hand.
,,Voor mij ook een glas," zei Carl met een haast verontschuldigende glimlach.
Ze keek met afkeer naar hem. ,,Eén van je vele talenten is ongetwijfeld het inschenken van je eigen drank."
Francine was eerst aarzelend blijven staan, verdween dan naar haar kamer. Na een blik naar Gina ging Stefanie haar vriendin achterna.

,,Ik weet het nu,'' zei ze zodra Stefanie binnen was. En op haar vragende blik.
,,Hoe het is met een man samen te zijn, met hem te slapen en met hem wakker te worden.''
,,Francine, waarom liet je het zover komen? Toch niet alleen omdat je wilde weten hoe het was? Volgens je eigen zeggen ook niet omdat je naar een man smachtte.''
,,Ik houd van hem. Ik weet dat het belachelijk is na zo'n korte tijd. Ik zou toch niet zonder enig gevoel van verliefdheid met de eerste de beste het bed induiken. Hij heeft me echter duidelijk gemaakt dat het voor hem niet meer was dan een spel. Vanmorgen, toen ik met hem wilde praten, toen ik hem probeerde duidelijk te maken dat ik verliefd was, toen heeft hij gelachen. Hij praatte tegen me of ik een kind van zestien was. Hij waagde het zelfs te zeggen dat hij onmiddellijk door had dat ik er aan toe was met een man naar bed te gaan. Hij vond het een hele eer dat hij de eerste was geweest. Hoe heb ik zo mijn gezonde verstand kunnen verliezen.''
Stefanie wilde opmerken dat zij hetzelfde al eerder had gezegd, maar hield zich in. Aan lesjes had Francine nu heel weinig.
,,Stel dat je in verwachting bent,'' schoot haar dan een angstige mogelijkheid te binnen.
Francine schudde het hoofd. ,,Hij was op alles voorbereid, ook op een vrouw die de pil niet gebruikte. Dat feit had me toch moeten waarschuwen. 'Ik heb er niet op gerekend dat je de pil gebruikt', zei hij. Lieve help... maar hij... Toch is hij een lieve man, Stefanie.''
,,Houd op. Het laatste wat ik van hem vind, is dat hij lief is. En wat nu?''
,,Het lijkt me het beste als ik morgen vertrek.''
,,Goed, dan ga ik met je mee.''
,,Dus we hebben alleen vandaag nog,'' zuchtte Francine.
Stefanie verdween naar haar slaapkamer en begon haastig met pakken. Het had geen zin hier nog langer te blijven. Ze was bijna misselijk alleen bij de gedachte dat Francine de nacht met haar vader had doorgebracht. Hoewel ze het haar vriendin minder kwalijk nam dan haar vader.
Ze ging die dag ook nog naar de schilder en nam haar portret mee. Jerôme had haar heel goed op het linnen gekregen, hoewel ze het resultaat wel enigszins geflatteerd vond.

Toen ze thuiskwam, zat Francine op het terras terwijl haar vader bezig was het gras te maaien. Stefanie liet haar vriendin het portret zien, waarop ook Carl dichterbij kwam. Hij keek over haar schouder mee.
,,Ik heb nooit gezien dat je zo mooi bent. Had je iets met die schilder?"
Stefanie draaide zich met een ruk om. ,,Kun jij dan nergens anders aan denken?"
,,Gedraag je niet als een preuts kind. Op dat portret zie je eruit of je gelukkig bent, een beetje dromerig zelfs. Zo, of je nadenkt over de liefde."
Stefanie dacht eraan dat Jerôme met schilderen was begonnen toen Thomas net was vertrokken en kreeg tot haar ergernis een kleur. ,,Je bent onmogelijk. Ik begrijp niet dat Gina al die tijd bij je is gebleven."
Carl negeerde haar opmerking. ,,Ik hoorde dat jullie morgen weggaan. Zou jij deze laatste avond met mij willen doorbrengen, Francine?"
Deze vloog overeind of ze werd gestoken. ,,Wat ben jij eigenlijk voor een individu... Je hebt totaal geen fatsoen, is het wel? Ook geen gevoel, trouwens. Je bent een schurk... een reptiel... een pooier... een..."
,,Bravo! Je bent heel wat creatiever dan ik. Ik kwam nooit verder dan smeerlap."
,,Dat ook natuurlijk. Het is allemaal zo íngemeen. Ik heb nooit zo'n oneerbaar creatuur ontmoet," raasde Francine verder.
Gina legde een hand op haar arm als wilde ze haar behoeden zich belachelijk te maken. Ze keek haar man minachtend aan.
,,Dwaasheid is erg, maar de dwaasheid van een ouder wordende man is volgens mij het allerergste. Kan ik jullie ergens mee helpen, meisjes?"
Carl Berkhof staarde hen na toen ze op het huis toeliepen. Hij wist dat hij Gina had gekwetst. Achteraf had hij ook spijt van deze hele affaire. Iedere keer liep hij weer in dezelfde val. Een meisje of jonge vrouw die met bewondering naar hem keek, bloosde bij een complimentje; hij moest haar voor zich winnen. Hoewel hij niet altijd zo ver ging als met Francine. Hij was wel geschrokken toen hij doorkreeg dat ze dacht dat hij alles hier zou opgeven voor haar. Dat ze zo naïef zou zijn, had hij nooit gedacht van een vrouw van haar leeftijd. Als hij vooruit had

geweten dat zij alles zo serieus zou nemen, zou hij er nooit aan zijn begonnen.
Het was dat alles niet waard. Ook zijn dochter leek nu een afkeer van hem te hebben. Het kon wel eens lang duren voor Gina hem had vergeven. Maar hij kon haar weer voor zich winnen, daarvan was hij heel zeker.
,,Kun je hem en mij dit vergeven?" vroeg Francine op hetzelfde moment aan Gina.
,,Je bent in zijn val gelopen zoals anderen ook is overkomen. Maar ik vind dat hij nu wel ver is gegaan, in mijn eigen huis met een gast. Ik zou woedend op je moeten zijn, maar ik heb medelijden. Je was zo'n gemakkelijk slachtoffer voor Carl."
Francine voelde zich nog meer vernederd dan wanneer Gina zou zijn gaan schelden.
De andere vrouw bleef echter aardig tegen haar, terwijl ze Carl volkomen negeerde. Enigszins verbaasd vroeg ook Stefanie zich af of Gina in deze hele zaak werkelijk de zwakkere was.

HOOFDSTUK 8

Ze vertrokken de volgende morgen vroeg, maar vóór die tijd arriveerde er een bestelauto voor het huis. De chauffeur stapte uit en controleerde het adres. Toen dat bleek te kloppen, opende hij de grote deuren en haalde drie enorme bloemenmanden tevoorschijn. De drie vrouwen waren op het terras toen de man de bloemenweelde neerzette. Gina tekende voor ontvangst, bestudeerde de kaartjes en schudde verbijsterd haar hoofd.
,,Moeten jullie horen. 'Aan mijn lieve partner'." Voor haar was de grootste en mooiste mand. De andere waren bijna gelijk, maar hadden duidelijk wat minder gekost. Op het kaartje van Francine stond 'Vergeef me als ik hoop wekte' en op dat van Stefanie 'Vergeef me dat ik nooit een echte vader was'.
,,Lieve help, wat melodramatisch. Intussen gaat hij met mensen om of het voorwerpen zijn. Ik hoop niet dat ik ook maar iets op hem lijk," zei Stefanie heftig.
,,Voor zover ik het kan bekijken, hoef je voor dat laatste niet bang te zijn," antwoordde Gina rustig. Verder heb je natuurlijk

gelijk. Hij is zeker uit op effect, maar toch heeft dit hem enkele honderden guldens gekost. De bloemen zijn hier veel duurder dan in Nederland. Ik zei je al: hij kan heel royaal zijn."
,,Daarmee laat jij je afkopen?"
Gina glimlachte geheimzinnig. ,,Voorlopig zeker niet."
Stefanie verdacht haar er ineens van dat ook zij van dit spel genoot. Van het steeds weer opnieuw door haar man veroverd te worden.
Carl Berkhof kwam niet meer opdagen. ,,Wat een vent. Laf is hij ook nog," mompelde zijn dochter. Beide meisjes hadden besloten de bloemen bij Gina te laten.
Toen ze eenmaal op de grote weg waren, zei Francine: ,,Het is een vreemd stel. Maar ik ben een illusie armer en een ervaring rijker."
Stefanie passeerde een vrachtwagen. ,,Eerlijk gezegd wilde ik dat ik je nooit had uitgenodigd. Je mag wel weten dat ik eerst razend op je was, vooral omdat ik medelijden had met Gina. Ik heb nooit geweten dat zij zoveel van hem moest pikken. Ik kan me niet voorstellen dat mijn moeder op dezelfde manier met hem leefde. Dan zou ik het toch hebben gemerkt?"
,,Kinderen zien niet alles," weerlegde Francine.
,,Ik was geen kind, ik was zeventien jaar toen mijn moeder overleed. Toen had ik alleen maar het gevoel dat er iets niet klopte, omdat ik hem met een ander had gezien. Maar ik durfde hem er niet naar te vragen. Toen niet."
,,Heb ik me belachelijk gemaakt, Stefanie?"
Stefanie besloot eerlijk te zijn. ,,In mijn ogen wel een beetje. Dat je werkelijk geloofde dat hij alles in Frankrijk in de steek zou laten."
,,Je vergeet dat ik hem niet kende. Jij had me nooit iets van die kant van zijn karakter verteld. Had ik het geweten dan was ik meer op mijn hoede geweest."
Stefanie haalde de schouders op. ,,Dat is nakaarten. Ik ga er in elk geval voorlopig niet meer heen."
Ze bleven in een hotel overnachten en waren de volgende dag tegen de avond in hun eigen stad. Stefanie bracht haar vriendin naar haar flat en reed daarna naar het huis van Thomas. Ze parkeerde de auto op de gracht. Het laatste stukje liep ze met haar koffer aan de hand.
Voor de deur bleef ze staan. Het naambordje 'Thomas en Hetty

van Schagen' was eindelijk weggehaald, had plaats gemaakt voor 'Thomas, Nicole en Jasper van Schagen'. De drieëenheid, dacht ze wrang. Iedereen die dat bordje ziet, moet weten dat er geen plaats is voor iemand anders.
Dan maakte ze zichzelf uit voor overgevoelig en drukte op de bel. Het was Thomas zelf die opendeed. ,,Eindelijk, daar ben je dan. Ik zat juist aan je te denken. Trouwens, ik doe weinig anders. Er is hier niemand behalve ikzelf. De kinderen zijn dit weekend nog bij mijn ouders. Wat heerlijk dat je er bent."
Hij sloot de deur achter haar en trok haar tegen zich aan. Hij kon niet weten dat Stefanie bij het dichtslaan van de deur een gevoel had gekregen of ze werd opgesloten in een kooi. Ze hing haar blazer op een haakje, betrapte zich erop dat ze dat zeer zorgvuldig deed. Bij het sluiten van de deur was de gedachte bij haar opgekomen: Ik ben in Hetty's huis. Als ik me hier wil handhaven moet ik zijn zoals Hetty, want met het terugzien van Thomas had ze gelijk geweten dat ze hem nooit meer kwijt wilde.
Het viel haar onmiddellijk op dat Hetty's jas niet meer aan de kapstok hing, maar de kamer was nog hetzelfde met Hetty's tekentafel en Hetty's portret.
,,Wat is dit toch een perfecte kamer," zei ze, zich naar Thomas toekerend.
,,Fijn dat je me er nog eens op wijst. Ik geloof dat ik er in geen drie weken echt naar heb gekeken."
Ze kon niet voorkomen dat ze achterdochtig werd bij deze opmerking. In haar oren klonk het onecht. Was Thomas krampachtig bezig zijn vrouw uit zijn gedachten te bannen? Wilde hij haar op deze manier duidelijk maken dat Hetty geen plaats meer innam in zijn hart?
,,Je kijkt zorgelijk. Ik hoop dat jij net zo blij bent mij te zien." Thomas keek haar wat onzeker aan.
,,Natuurlijk wel. Ik ben alleen wat vermoeid van de reis. Na de koffie wil ik graag naar mijn kamer. Ik kan toch in mijn kamer terecht?"
,,Waarom niet? De kat is daar ook." Thomas klonk ineens weer afstandelijk. Had hij verwacht dat zij onmiddellijk naar zijn slaapkamer zou verhuizen?
Toen de koffie doorliep, kwam Thomas weer in de kamer en bleef tegenover haar staan. ,,Ik had als vanzelfsprekend aange-

nomen dat je vanaf nu hier zou wonen. Dat we binnen afzienbare tijd zouden trouwen. Hechtte ik te veel waarde aan ons samenzijn?"
,,Thomas doe niet zo formeel. We zien wel hoe het loopt." Stefanie was ineens weer bang een definitief antwoord te geven.
Die avond verliep het gesprek wat moeizaam. Thomas deed geen enkele poging meer haar aan te raken, tot ze opstond om naar boven te gaan. Toen strekte hij zijn hand naar haar uit en ze liet zich naar hem toehalen. ,,Steffie, ik heb je zo gemist."
Ze leunde tegen hem aan en sloot een moment haar ogen. Achter Thomas hing Hetty's portret. Zij keek met een stralende glimlach toe.

Thomas had nog vakantie en de volgende dag waren ze samen thuis. Stefanie vertelde hem alles van haar vader en Francine. Aan het eind van haar verhaal bekende Thomas: ,,Ik ben wel eens jaloers geweest op mensen zoals je vader. Mannen die zo gemakkelijk vrouwen veroveren. Ik was verlegen. Vóór Hetty had ik maar één vriendinnetje. Wat mijn vrouw aanging; voor haar moest ik veel moeite doen." Er gleed een trage glimlach om zijn mond en Stefanie zag dat hij verdiept raakte in herinneringen. Hij zal het niet merken als ik nu de kamer uitga en voorgoed zijn huis uit, dacht ze. Dan sprak ze zichzelf streng toe. Het was immers belachelijk jaloers te zijn op iemand die al tweeëneenhalf jaar dood was. De enige manier hem te doen vergeten was zelf zo aanwezig te zijn dat hij niet meer aan zijn vrouw dacht.
Ze sliep die nacht bij hem. Ze was echter veel minder ontspannen dan in Frankrijk, weet dit aan het portret van Hetty dat op het nachtkastje stond. Op een gegeven moment draaide ze dit om. Thomas zag het, maar zei niets.
,,Je bent het er niet mee eens," zei ze tamelijk fel.
,,Ach, ik vind het een beetje kinderachtig."
,,Kan zijn, maar het is al mooi genoeg dat ik haar aanwezigheid vóel, zonder dat ze mij lachend aankijkt, terwijl ik met jou in bed lig."
,,Ik vind dit echt geen leuke opmerking," zei Thomas koel.
,,Het was ook zeker niet leuk bedoeld," was het vinnige antwoord. Ze gleed het bed uit en verdween naar haar eigen kamer, waar Bartje van de gelegenheid gebruik had gemaakt om

op het dekbed in slaap te vallen. Ze schoof de poes een beetje opzij.
,,Nu weet hij nog niet eens dat ik in verwachting ben. Ik geloof niet dat ik hier voor de rest van mijn leven wil wonen. Wat moet ik doen? Weet jij het Bart?" De poes was op het geluid van haar stem begonnen te spinnen.
De volgende dag was Thomas al keurig aangekleed en had de ontbijttafel gedekt toen zij in haar duster beneden kwam.
,,Ik stel voor dat we vandaag de kinderen halen."
,,Ik weet het niet, ik ben misselijk."
Hij keek haar hoogst verbaasd aan. ,,Misselijk? Jij? Dat ben je nooit."
Ze moest in zichzelf lachen dat Thomas absoluut niet op de gedachte kwam wat er aan de hand was. Ze haalde haar schouders op, maar na een uurtje reden ze toch weg. Stefanie was blij dat ze het huis een dag achter zich kon laten. Misschien vond Thomas het ook wel niet prettig met haar alleen in Hetty's huis te zijn, bedacht ze. Zou hij zich ook voortdurend op de vingers gekeken voelen door zijn gewezen vrouw? O foei, wat was ze overgevoelig. De tocht verliep verder plezierig, bijna alsof ze een last achter zich hadden gelaten. Ze dronken onderweg koffie en de bezorgde blik waarmee Thomas haar voortdurend opnam, gaf haar een warm gevoel.
,,Je ziet er zo leuk uit."
Het vertederde haar dat hij niet scheen te zien dat ze bleek zag en kringen om haar ogen had.
,,Ik moet steeds naar je kijken."
Ze liet zich dit met een lachje welgevallen, begreep ineens niet meer waarom ze hem die nacht in de steek had gelaten, was hem dankbaar dat hij er niet meer op was teruggekomen.
Zijn ouders, noch de kinderen, wisten iets van hun komst, met het gevolg dat er niemand thuis was.
,,Waar kunnen die nou zijn?" mopperde Thomas verongelijkt.
,,Het is hun toegestaan er een dagje tussenuit te gaan," lachte Stefanie.
Ze bleven enige tijd op het terras, liepen later het bos in en de hei op.
Stefanie moest onwillekeurig denken aan die keer dat ze hier ook samen met Thomas was geweest, meer dan een jaar geleden. Thomas had over Hetty gepraat en zij over Richard. Nu

was het anders. Terwijl ze zo liepen, had ze het gevoel dat ze echt samen waren. Thomas hield zijn arm om haar heen, soms stond hij stil om haar aan te kijken en te kussen.
,,Ik houd zoveel van je, Steffie. Ik heb het gevoel dat ik pas compleet ben als jij er bent."
Ook zij genoot van dit samenzijn. Ze dacht een beetje weemoedig dat het zo niet zou blijven. Er waren kinderen; de kinderen van Thomas en Hetty. Met de armen om elkaar heen liepen ze later terug. Voor ze de bocht om waren, hoorden ze de heldere stem van Jasper al. Thomas nam zijn arm niet weg toen ze de tuin inliepen. Stefanie zag hen allevier zo scherp als was het een film die was stilgezet. De ouders afwachtend, maar de moeder toch met een hoopvol lachje. Jasper die naar hen keek of hij zijn ogen niet kon geloven. Nicole, zwijgend en afwerend.
,,Dus jullie zijn hier," merkte zijn moeder tamelijk overbodig op.
,,We wilden de kinderen meenemen. Stefanie is weer thuis, dat is voor hen ook een stuk gezelliger."
Nicole maakte een minachtend geluid, Jasper keek van de een naar de ander.
,,Blijf je nu echt? Ga je niet meer weg? Bartje vindt het ook niet leuk steeds zonder jou te zijn."
,,Ik blijf echt," zei ze rustig.
Nicole zei niets en Stefanie besloot dat het verstandiger was zich niet op te dringen. Wat later hielp ze Thomas' moeder met de koffie.
Ze was niet verrast toen deze vroeg: ,,Gaan jullie trouwen?" De vraag had al op haar lippen gebrand zodra ze hen had zien aankomen, daarvan was Stefanie zeker.
,,De kans zit erin. Het is voor mij echter niet gemakkelijk. Ik weet dat Thomas nog vaak aan zijn vrouw denkt."
,,Thomas zal Hetty nooit vergeten en dat is goed," zei de andere vrouw kalm. ,,Maar ze zal wel een steeds kleinere plaats in zijn gedachten krijgen. Jij zou haar ook een plaats moeten geven. Zo, of zij er ook bijhoort. Dat zou het voor Nicole ook een stuk gemakkelijker maken. Als jij vijandig staat tegenover haar moeder voelt zij dat aan."
,,Ik ben niet vijandig, maar ik stik in dat huis," viel Stefanie uit. Thomas' moeder keek haar even opmerkzaam aan, maar reageerde hier niet op.

Dat ze er wel degelijk over nagedacht had, bleek toen ze aan tafel zei: ,,Soms denken wij erover naar het dorp te verhuizen. Zou jij dan hier willen wonen, Thomas?''
,,Nooit van mijn leven,'' zei Nicole, vóór iemand iets had kunnen zeggen.
,,Het zou in verband met mijn werk onmogelijk zijn. De kinderen zitten op een prettige school. Het zou niet goed zijn weer te veranderen.'' Thomas zei het vriendelijk, maar wel op een toon of dit onderwerp met deze enkele zin voorgoed was afgedaan. Misschien was het daarom dat Stefanie een beetje weerspannig zei: ,,Ik zou het heerlijk vinden. Altijd buiten.''
,,Dat is voorlopig onmogelijk, Stefanie.''
,,Wat hebben wij daar mee te maken als zij hier wil wonen?'' merkte Nicole onverschillig op.
,,Ik hoop dat wij er wel degelijk mee te maken krijgen waar Stefanie wil wonen,'' zei Thomas, de achterdochtige blik van zijn dochter negerend.
,,Hoe kwam moeder daar nou ineens op?'' vroeg hij toen ze al op de terugweg waren.
,,Ik denk omdat ik tegen haar zei dat het huis waar we nu wonen voor mij niet prettig is.''
,,Je hoeft niet bij ons te blijven,'' kwam Nicole weer scherp.
Niemand antwoordde, zelfs Jasper scheen het verstandiger te vinden zijn zusje niet tegen te spreken.
Eenmaal thuis was het voor iedereen bedtijd. Stefanie had zich voorgenomen zich niet te laten kisten door Hetty's portret, dus ging ze naar Thomas' kamer.
Ze zag dat de foto wat verder weg stond, op de kaptafel waar zich onder andere spullen van Hetty bevonden.
,,Wil je zachtjes doen om de kinderen?'' vroeg Thomas vanuit het bed.
Ze staarde hem aan. ,,Heb je klachten dat ik me luidruchtig gedraag in bed?''
Hij grinnikte. ,,Nicole is nu eenmaal op een lastige leeftijd. We moeten een beetje rekening houden met haar gevoelens.''
,,Ik zal je eens iets over míjn gevoelens vertellen,'' zei Stefanie terwijl ze naast hem schoof.
Wat later, toen hij haar aankeek, terwijl hij zachtjes met een vinger de lijn van haar wenkbrauw volgde, zei ze: ,,Thomas, ik verwacht een kind.''

De verbijstering op zijn gezicht was bijna komisch. ,,Weet je dat zeker? Hoelang...? Wanneer..."
,,Je kunt ervan overtuigd zijn dat het van jou is. In Frankrijk, weet je nog? We waren zo dicht bij de natuur, alles moet hebben meegewerkt. Het is nog maar in het begin, maar ik weet het wél zeker."
,,Lieve help, Stefanie. Je overvalt me hiermee. We trouwen natuurlijk zo snel mogelijk."
,,Dit hoeft geen reden te zijn om te trouwen."
,,Natuurlijk wel. Als er één reden is dan is het deze wel. Wat zullen de kinderen hiervan zeggen? We moeten heel voorzichtig zijn, Stefanie. Vooral tegenover Nicole."
,,Moeten we dat niet altijd?" reageerde ze bitter.
,,Ik wist niet dat je... ik dacht dat je aan de pil was," kwam Thomas met een volgende opmerking.
,,Waarom dacht je dat? Bij wijze van voorzorg voor als ik eens iemand tegen het lijf liep? Zonder vaste relatie vond ik het nogal overbodig voortdurend kunstmatig onvruchtbaar te zijn."
,,Je had mij toch moeten zeggen dat je niet beschermd was, Stefanie. Een kind is van ons samen..."
,,O ja? Had jij je dan op een afstand gehouden in Frankrijk? Hoor eens, ik kan ook alleen voor onze nazaat zorgen."
,,Wat ben je prikkelbaar. Komt dat doordat je in verwachting bent? Ik weet nog dat Hetty..."
,,Zij was voortdurend in een gelukzalige stemming, wilde je zeker zeggen. Waag het niet mij met haar te vergelijken." De tranen stonden haar eensklaps in de ogen en Thomas trok haar naar zich toe.
,,Wat ben je toch een opstandig persoontje af en toe. Ik had nooit gedacht nog eens vader te worden. Het verrast mij, maar als ik er goed over nadenk, vind ik het geweldig! Geloof je mij?" Van het ene op het andere moment veranderde Stefanies stemming weer. Ze zag Thomas' vriendelijke ogen die haar nu wat onzeker aankeken. ,,Geef me een zoen," zei ze zacht.
,,Weet je zeker dat vrijen geen kwaad kan voor het kind?" vroeg hij later.
Op een elleboog geleund keek ze hem aan. ,,Wat is dat voor onzin."
,,Wel, Hetty zei..."
,,Wat Hetty zei daar heb ik niets mee te maken."

,,Sorry, Stefanie. Haar naam ontglipt me steeds. Ik weet zeker dat dit op den duur niet meer zal voorkomen."
,,Je mag af en toe gerust aan haar denken," zei Stefanie grootmoedig. Ze dacht aan de woorden van Thomas' moeder. Hetty moest ook haar plaats hebben in dit gezin, maar dat werd wel moeilijk als ze zelfs in bed aanwezig bleek.
Ze werden de volgende morgen wakker gemaakt door Jasper die zachtjes binnenkwam. Het scheen hem niet te verbazen Stefanie bij zijn vader in bed te vinden. Hij kwam gezellig op de rand zitten, begon een uitgebreid verhaal over een wandeling die hij met zijn grootvader gemaakt had.
Hij vertelde dat ze enkele reeën van dichtbij hadden gezien. Een van hen had opeens zijn kop opgericht en hem recht aangekeken. Enkele seconden later waren ze allemaal met schichtige sprongen verdwenen.
Stefanie had intussen haar nachthemd aangetrokken. Ze was daar blij om toen Nicole geheel gekleed binnenkwam.
,,Kom er ook bij. Ik moet je iets vertellen," zei Thomas vriendelijk.
Het meisje ging op een stoel zitten, de voeten keurig naast elkaar, de handen in de schoot gevouwen. Ze is te oud voor haar leeftijd, dacht Stefanie. Ze slaat een periode over waarin jongeren over het algemeen veel plezier hebben, giechelen en uitgaan.
,,Stefanie en ik gaan trouwen."
Nicole stond langzaam op, de ogen heel groot in een bleek gezichtje. ,,Waarom doe je dat, pappa?" vroeg ze op een vreemde toon.
,,Wel, omdat ik van haar houd."
Stefanie was hem dankbaar voor dit simpele antwoord, maar voor Nicole was het niet genoeg. ,,Je hebt gezegd dat je altijd van mamma zou blijven houden."
,,Dat doe ik ook, Nicole, heus."
,,Hoe kun je dan met haar trouwen?"
,,Ik heb je al vaker gezegd: een mens kan van meer mensen tegelijk houden. Je zult je bij de feiten moeten neerleggen, Nicole. Geloof me, het wordt voor jullie alleen maar beter."
,,Ik noem haar nooit mamma."
Stefanie was intussen opgestaan. In het grote T-shirt leek ze heel jong. ,,Dat hoeft niet, Nicole. Je hebt maar één mamma.

Maar nu zij er niet meer is, zal ik proberen een beetje voor jullie te zorgen."
Het meisje antwoordde niet, ging langzaam de kamer uit.
,,Ik had heus niet verwacht dat ze in gejuich zou losbarsten," merkte Thomas droog op.

Ze trouwden twee maanden later in oktober. Er kwam nauwelijks enige feestelijkheid bij te pas. Alleen de ouders van beide kanten werden uitgenodigd voor een etentje. Stefanie had nog aan Francine gedacht, maar het leek haar nogal pijnlijk als deze weer met haar vader geconfronteerd werd. De maaltijd verliep overigens ongedwongen en Stefanie moest, tegen haar zin, toegeven dat dit grotendeels aan de charme van haar vader te danken was. Hij zag zelfs kans Nicole even te laten lachen.
,,Toch had ik me de bruiloft van mijn enige dochter anders voorgesteld," zei hij toen ze even alleen waren.
,,Ik houd niet van die poespas," antwoordde ze kortaf.
,,Toe nou, Stefanie. Ieder meisje droomt ervan eens een prachtige bruid te zijn en een dag het stralende middelpunt te zijn van een groot feest. Is die man van je nu nog steeds in de rouw?"
,,Dat niet, maar een groot feest leek ons niet gepast. Het kost trouwens massa's geld." Geld dat we nodig hebben voor de babyuitzet en alles wat daarbij komt, dacht ze erachteraan. Maar ze zei het niet. Ze was nu bijna vier maanden in verwachting en het was nog niet te zien. Maar dat zou niet lang meer duren, want de tijd van knopen verzetten, was inmiddels aangebroken.
Ze wilde het echter het eerste aan Nicole vertellen en dat stelde ze steeds opnieuw uit. Nicole gedroeg zich nog steeds zeer afstandelijk. Ze trok zich vaak op haar kamer terug. Stefanie wist niet hoe ze dit moest doorbreken. Het deed toch pijn dat ze veel bij een vriendinnetje was en vooral dat ze dan thuiskwam met enthousiaste verhalen over Cissy's moeder die blijkbaar heel goed wist hoe met haar om te gaan. Waarschijnlijk was deze vrouw helemaal niet op de hoogte van Nicoles vijandige houding tegenover de vrouw van haar vader.
Stefanie was gestopt met werken, maar ze miste de omgang met collega's. Daarom speelde ze met de gedachte weer part-time te gaan werken als de baby er eenmaal was. Eerst maar eens afwachten hoe druk ze het dan zou hebben.

Enkele weken later kon Stefanie er niet meer onderuit het nieuws aan Nicole te vertellen. Ze moest op doktersadvies 's middags rusten.
Soms kwam Nicole vroeg thuis om dan mee te delen dat haar mamma nooit midden op de dag naar bed ging. In haar somberste momenten vroeg Stefanie zich af hoelang ze de vijandigheid van het meisje nog kon verdragen.
Die avond toen ze alle vier in de kamer waren, keek ze eerst naar Hetty's portret voor ze zei: ,,Ik moet jullie iets vertellen." Gek genoeg had ze het gevoel dat Thomas' vrouw het ook moest weten. ,,Je vader en ik... we krijgen een kindje... en jullie dus een broertje of een zusje."
,,Een echte baby van jezelf? Maar je zei dat je voor ons zou zorgen. Je houdt natuurlijk veel meer van een kindje van jezelf dan van ons." Er klonk een begin van paniek in Jaspers stem.
,,Wat kan het je schelen of zij van je houdt!" Nicoles stem schoot driftig uit. Ze was van haar stoel overeind gesprongen, verliet de kamer of ze achterna werd gezeten. De deur sloeg met een klap achter haar dicht.
Thomas zag Stefanies onzekere blik en stond ook op. ,,Ik zal eens met haar praten."
Wat haalt het uit, dacht Stefanie bitter. Nicole had nu eenmaal besloten een hekel aan haar te hebben en ze zou dat nooit veranderen. Als het op deze manier doorging, kon het meisje hier niet blijven. Dan was het op den duur: zij eruit of ik eruit. Maar Nicole was nog geen veertien jaar. Op zijn vroegst als ze zeventien was, kon ze een kamer zoeken. Het was toch geen leven als zij de maanden telde en dat bijna vier jaar lang?
,,Nicole denkt nog veel aan mamma. Ik ben haar een beetje vergeten." Jaspers stem klonk schuldbewust. ,,Als ik tegen Nicole zeg dat ik niet meer zo goed weet hoe mamma was, wordt ze heel boos."
Stefanie legde een arm om hem heen en Jasper kroop wat dichter tegen haar aan.
,,Zou jij graag willen dat ik jou mamma noemde?"
,,Alleen als je het zelf echt wilt. Weet je, Nicole weet natuurlijk meer van haar moeder dan jij. Ze is vier jaar ouder."
Ze wíl ook niet vergeten. Als ik maar wist waarom dat zo is. Waarom ze haar verlies zo blijft koesteren, dacht ze erachteraan.

,,Jassie, zullen wij samen koekjes bakken?"
Hij keek met stralende ogen naar haar op. ,,Ik vind het niet erg als je Jassie zegt."

,,Nicole, met steeds maar weg te lopen, lossen we niets op."
Thomas stond wat onhandig midden in de tienerkamer.
Zijn dochter zat op de rand van het bed. Heel haar houding drukte afweer uit. ,,Het is haar schuld. Zij komt hier op mamma's plaats."
,,Lieverd, mamma heeft geen plaats meer in dit huis. Alleen binnen in ons. Je weet hoeveel ik van mamm hield. Ik houd ook veel van Stefanie. Ik had nooit gedacht dat zoiets zou gebeuren. Na al het verdriet waar ik dacht nooit overheen te komen. Ik was zo blij dat ze met me wilde trouwen en ik ben ook blij dat er een kindje komt." Hij zakte door zijn knieën en probeerde zijn dochter aan te kijken. ,,Nicole, het leven met mamma is voorbij. We moeten nu echt proberen een nieuw leven op te bouwen."
,,Soms denk ik dat mamma ineens terug zal komen."
,,Hoe kun je zoiets denken? Je weet dat het niet kan."
,,Hoe kon ze zomaar ineens weg zijn? Voorgoed weg?"
Thomas keek met een wat hulpeloze blik naar zijn dochter, begon zich af te vragen of ze professionele hulp nodig had. Dit kon toch niet normaal zijn.
,,Ik heb trouwens altijd buikpijn, misschien ga ik ook wel dood."
,,Natuurlijk ga je niet dood. Daar ben je veel te jong voor."
,,Mamma was ook te jong. En pas is er een jongen van vijftien doodgegaan."
Thomas ging naast haar zitten en legde na een korte aarzeling zijn arm om haar heen. Hij voelde haar smalle schouders; ze leek zo breekbaar.
,,Meestal zijn het oudere mensen die doodgaan. Mensen wiens leven voltooid is. Ik weet het, soms gebeuren er ongelukken of wordt iemand die jong is ernstig ziek. Toch moet je daar niet steeds aan denken, Nicole. Van dergelijke gedachten word je juist ziek. Als je buikpijn hebt, moet je naar de dokter."
Hij praatte nog een poosje door, ook over Hetty en langzamerhand ging hij begrijpen dat Nicole het eerste jaar na de dood van haar moeder inderdaad had gehoopt dat ze terug zou ko-

men. Pas het laatste jaar sinds Stefanie hier in huis woonde, was ze gaan beseffen dat Hetty voorgoed weg was. Hij vroeg zich vertwijfeld af of hij haar indertijd had moeten meenemen naar het mortuarium, zodat ze bewust afscheid had kunnen nemen. Maar ze was toen een kind van elf jaar en zelfs nog nooit op een begraafplaats geweest.
Toen hij er met Stefanie over praatte, zei deze: ,,Dat laatste zou je alsnog kunnen doen. Neem bloemen mee en praat erover, laat haar eindelijk afscheid nemen. Ze moet zich bij de feiten neerleggen."

Er gingen enkele weken voorbij waarin het leek of Nicole iets minder vijandig was. Soms speelde ze met Bartje, die nu door het hele huis liep en ook in de tuin mocht als er iemand bij was. Als Stefanie aan kleine babyspulletjes prutste, had dit duidelijk Nicoles belangstelling.
Op een middag kwam ze niet op de afgesproken tijd thuis en hoewel Stefanie zich niet direct ongerust maakte, ging ze na een uur toch af en toe naar de voordeur en tuurde de gracht af.
,,Misschien is ze bij Cissy," veronderstelde Jasper.
,,Zoiets kan ze toch wel even zeggen." Stefanie werd kribbig van de zenuwen.
Ze zaten al aan tafel toen ze thuiskwam. Nicole had nog een eigen sleutel. Stefanie had haar dat privilege niet willen afnemen.
,,Ik hoef niet te eten," waren haar eerste woorden.
,,Prima, het maakt mij niet uit. Ik stel voor dat je maar gelijk naar je kamer vertrekt. Je komt en gaat wanneer je wilt, je stapt 's morgens uit je bed en wandelt zo de deur uit. Je bent te beroerd dat je een vinger uitsteekt. Wat denk je dat ik ben, je slavin?" Stefanie was woedend.
,,Mamma schreeuwde nooit," klonk het vernietigend. Waarop ze zich omdraaide en met opgericht hoofd de kamer verliet.
Stefanie stond op het punt in tranen uit te barsten. Ze wist niet of dit kwam door Nicoles onverzoenlijke houding dan wel door de manier waarop ze de kamer verliet. Een kaarsrechte smalle rug, de blonde paardestaart die scheef zat omdat ze weigerde zich ooit te laten helpen, hoewel Stefanie zeker handigheid had in het maken van een vlot kapsel. Er waren ogenblikken dat Stefanie medelijden met het meisje had. Ze leek zo eenzaam en

dat werd er niet beter op nu Jasper steeds vertrouwelijker met haar werd.
Toen de telefoon ging, nam Thomas deze aan en reikte deze met een ,,Voor jou,'' aan haar over.
,,Met Cissy's moeder,'' klonk het opgewekt.
Stefanie voelde zich direct ongemakkelijk. Cissy's moeder was immers degene waar Nicole zo vol lof over was. ,,Mijn naam is Carla. Zouden wij elkaar ergens kunnen ontmoeten?''
,,Waarom?'' Stefanie werd nog meer geprikkeld door alleen deze vraag.
De toon klonk haar autoritair in de oren. Daarbij was deze vrouw in Nicoles ogen de ideale moeder.
,,Over Nicole die u toch ook ter harte gaat, neem ik aan. Ik moet u een paar dingen zeggen. Ik wil overigens niet dat zij van ons gesprek op de hoogte wordt gesteld.''
Ze maakte een afspraak voor de volgende dag in een bistro in de stad.
,,Het zal wel moeten, maar ik heb zo het gevoel dat ik een lesje van haar krijg,'' mopperde Stefanie tegen Thomas.
Thomas keek haar een beetje spottend aan. ,,Jij een lesje krijgen. Knap als Carla dat lukt.''
,,Ken je haar?''
,,Natuurlijk ken ik haar. Als kleuter speelden Cissy en Nicole al samen. Hetty en Carla waren vriendinnen.''
,,Waarom komt ze hier dan nooit?''
,,Dat heeft toch geen zin nu Hetty er niet meer is,'' zei hij op een toon of hij een leerling iets probeerde uit te leggen.
,,Dus jij was niet met haar bevriend?'' hield ze aan.
,,Met verjaardagen kwamen we bij elkaar. Hetty trok veel met haar op. Ze gingen samen tennissen en winkelen.''
,,Dus zij vond je vrouw ook volmaakt?''
,,Stefanie, wil je daarmee ophouden. Waarom moet je steeds over haar praten. We zouden opnieuw beginnen.'' Hij was steeds harder gaan praten.
,,Dat lukt hier immers nooit. Alles is van Hetty, alles hier is door haar uitgezocht en op een vaste plaats neergezet. Ik waag het niet ook maar een stoel te verplaatsen. Het is of zij me dan verontwaardigd aankijkt.'' Ze wierp een boze blik op Hetty's portret.
,,Jij was degene die zei dat ik mijn verdriet niet moest koeste-

ren, weet je nog? Je bent nu zelf bezig een absurde vorm van jaloezie te koesteren!"
De deur draaide open. Op de drempel stonden de twee kinderen. Jasper met een verontruste blik. Nicole duidelijk verontwaardigd.
,,Vroeger praatte je nooit zo hard," richtte ze zich tot haar vader.
,,We leven nu, althans dat proberen we. En als we ruzie willen maken, is dat onze zaak!" schreeuwde Stefanie met het gevoel dat ze de zaak totaal verkeerd aanpakte.
,,Ruzie hoort niet," was het nuffige antwoord.
,,Lieve help, het wordt werkelijk tijd dat jij eens normaal gaat reageren."
,,Ik ben normaal, maar jij... jij..."
Thomas ging tussen hen beiden instaan. ,,Ik weet dat het te veel gevraagd is als ik nu zeg, wees aardig tegen elkaar. Maar hier houden jullie onmiddellijk mee op."
,,Ik wilde dat pappa nooit met jou was getrouwd," zei Nicole nog.
,,Nee, dat was me al opgevallen," reageerde Stefanie bitter. Ze keek naar Thomas die met een gezicht als een donderwolk op de bank was gaan zitten. Waarom verdedigde hij haar, zijn vrouw, niet tegen zijn dochter? Zou hij dat ooit doen? Ineens overviel haar een gevoel van moedeloosheid. Waar was ze aan begonnen? Deze man, de man waar ze van hield, die haar echtgenoot was, hij nam geen duidelijk standpunt in. Als ze samen waren, wist ze heel zeker dat hij van haar hield. Soms was Hetty dan ver weg, iemand uit het verleden, een kostbare herinnering. Maar er behoefde maar iets te gebeuren of ze was weer aanwezig. Als ze kookte, had ze soms het gevoel dat Hetty over haar schouder meekeek. Als ze bloemen in een vaas schikte, was het of ze in Nicoles ogen de afkeuring van haar moeder zag, die van ieder boeket een bloemstuk maakte.
Ze zou er nog een minderwaardigheidscomplex van krijgen als dit zo doorging. Ze begreep dat het moeilijk was voor Thomas. Hij kon zijn dochter niet laten vallen. Ondanks alles had het meisje haar vader nodig.
,,We zullen misschien deskundige hulp moeten zoeken," zei ze aarzelend.
,,Als je denkt dat ik een of andere knaap die enkele jaren heeft

gestudeerd, in ons leven laat wroeten, heb je het mis. Dergelijke lui praten je naar een scheiding toe."
,,Wat moeten we dan, Thomas?"
,,Gewoon doorgaan. Wij houden van elkaar. Nicole zal eraan moeten wennen. Alsjeblieft, probeer het niet zo belangrijk te vinden."

,,Je zou daar weg moeten. Jullie zouden eigenlijk moeten verhuizen," zei Francine die avond.
Stefanie was het huis uitgelopen, moe van alle spanningen. Ze zuchtte.
,,Het idee! Zij kunnen hun gewijde huis nooit loslaten."
,,Jij kunt ook eisen stellen. Het lijkt wel of je bang bent voor die Hetty. Dat is volkomen absurd. Jij leeft, je verwacht een kind, je hebt een toekomst. Je moet weigeren in het verleden te leven. Ik heb het idee dat je vroeger meer voor jezelf opkwam."
,,Het lijkt soms of ik op een smal randje loop waarvan ik bij één verkeerde stap kan afvallen."
,,Ik sprak Richard. Hij vroeg naar je," zei Francine dan, duidelijk van plan haar gedachten een andere richting op te sturen.
,,Ach, Richard. Hij lijkt iemand uit een ander leven."
,,Hij is nog steeds bij zijn vrouw," ging Francine ongevraagd verder. ,,De rompslomp van een scheiding zag hij niet zo zitten. Ik heb met zijn vrouw te doen. Sommige vrouwen zijn letterlijk verslaafd aan hun man en vergeven hem alles."
Stefanie wist dat haar vriendin nu aan haar vader en Gina dacht, maar ze zei niets. Francine vond het prima dat ze bleef slapen. Ze ging er natuurlijk van uit dat Thomas wist waar ze was en Stefanie liet haar in die waan. Ze wilde eens even helemaal los zijn van het gezin op de gracht. Ze had echter buiten de logische gedachtengang van haar echtgenoot gerekend.
Hij wist dat er maar één was waar Stefanie naar toe kon gaan in deze stad. Toen ze om één uur niet was thuisgekomen, besloot hij haar te gaan halen. De kinderen sliepen en na de deur te hebben afgesloten, liep hij over de stille gracht. Zijn gedachten draaiden steeds om hetzelfde. Was zijn huwelijk met Stefanie nu al gedoemd te mislukken? Waren ze te overhaast getrouwd? Hij wist dat het niet alleen aan Nicole lag dat de sfeer soms verknoeid werd. Stefanie voelde zich niet prettig in zijn huis. Soms dacht hij erover naar een andere woning uit te kijken. Hij zou

het grachtenpand gemakkelijk met winst kunnen verkopen. Dit soort huizen was de laatste tijd bijzonder geliefd. Maar het ging hem aan het hart alles aan de kant te zetten wat hij met Hetty had opgebouwd. Want het ging niet alleen om het huis. Veel van de indertijd met zorg uitgekozen meubelstukken vond Stefanie ronduit lelijk. Daarbij, hoe zouden de kinderen en met name Nicole, reageren als hun leven weer overhoop werd gegooid? Ditmaal door een verhuizing. Zouden ze dan niet alle vaste grond onder hun voeten verliezen? Toch kon het zo niet verder gaan. Hij hield van Stefanie, juist omdat ze zo heel anders was dan Hetty. Eigenlijk verwonderde dit hem. Hoe kon een mens van twee zulke verschillende personen houden? Soms betrapte hij zich erop dat hij last had van schuldgevoelens, omdat hij zich gelukkig voelde. Natuurlijk kwam Hetty nog vaak in zijn gedachten, maar dit was dan meer een reden voor een glimlach dan voor tranen.
Hij had er zelfs over gedacht om Hetty's portret weg te halen, maar hij was huiverig voor de reactie van zijn dochter. Toch kon hij zich niet voorstellen dat Nicole na bijna drie jaar, nog zo intensief met haar moeder bezig was. Aan de ander kant leek het hem onwaarschijnlijk dat het kind een soort toneelspel volhield. Hij hoopte nu maar dat Carla's gesprek met Stefanie enig licht op de zaak zou werpen.
Het huis van Francine was donker. Was het wel verstandig haar midden in de nacht uit bed te bellen? Misschien was Stefanie daar toch niet. Maar dan zou hij zeker alarm moeten slaan. Voorzichtig drukte hij op de bel, kon niet voorkomen dat de stilte werd verbroken door een helder ding-dong. De deur werd vrij snel geopend.
,,Is mijn vrouw hier?"
,,Dat heb je goed geraden. Je was toch niet van plan haar midden in de nacht te ontvoeren?" Francine klonk geprikkeld.
,,Zo laat is het nog niet. Ze hoort hier niet," zei Thomas geïrriteerd om Francines toon.
,,Kom even binnen, wil je." Ook Francine was boos om de vanzelfsprekende manier waarop Thomas leek aan te nemen dat Stefanie op dit tijdstip met hem mee zou gaan. Hij volgde haar naar de kamer, waar Francine een schemerlamp aanknipte en hem een stoel wees. Zelf ging ze op de bank tegenover hem zitten en stak een sigaret op. Thomas voelde zich ineens wat onge-

makkelijk. Francine droeg een badjas en de gedachte dat ze daar waarschijnlijk heel weinig onder aanhad, maakte hem verlegen.
Francine nam rustig een trekje van haar sigaret. ,,Je wilt toch niet echt dat ik haar wakker maak, wel?"
,,Waarom niet?"
,,Gedraag je niet zo autoritair. Wilde je haar zo uit bed over straat meesleuren? Je bent lopend, begrijp ik. Misschien was het je tot nu toe ontgaan, maar Stefanie is een aanstaande moeder en ze heeft haar rust hard nodig."
,,Toevallig is ze van míjn kind in verwachting, dus ik weet er alles van. Waarom gedraagt ze zich zo onvolwassen? Met weg te lopen bereikt niemand iets."
,,Ik denk dat ze aan het eind van haar latijn is. Ze heeft wel een en ander te verduren van die dochter van je. Waarom neem je háár niet eens onderhanden? Dat lijkt me heel gezond."
,,Nicole mist haar moeder nog steeds en ik vind dat ze recht heeft op haar verdriet."
,,Stefanie geeft haar alle ruimte voor verdriet en herinneringen. Of ik moet haar al heel slecht kennen. Maar bij verdriet hoort niet dat ze de vrouw van haar vader het leven zo zuur maakt."
Thomas antwoordde niet direct en in de stilte hoorden ze voetstappen op de gang, waarna de deur openging. Stefanie stond in haar nachthemd op de drempel. Het donkere haar hing verward om haar hoofd. Dit mooie schepseltje was zijn vrouw!
,,We hebben je wakker gemaakt. Wil je een glas melk?" Francine klonk bezorgd.
,,Ik drink nooit midden in de nacht melk. Wat doe jij hier, Thomas?"
,,Hij komt je halen. Hij is van mening dat je ten alle tijde aan zijn zijde moet zijn, omdat je zijn vrouw bent," antwoordde Francine vinnig. ,,Ik laat jullie nu alleen. Als je met hem meegaat, Stefanie, trek dan de deur goed achter je dicht."
Stefanie ging zitten. Haar ogen leken een beetje wazig van de slaap, maar haar geest was allesbehalve wazig. ,,Ik ga niet mee. Wat bezielt je om midden in de nacht hier te komen? Controle of wij er een orgie van hebben gemaakt? Ja, het is mogelijk dat jij dacht dat ik wel eens behoefte kon hebben aan een feestje, door de sombere sfeer die in jouw huis hangt. Dat ik jong zou

willen zijn en gewoon vergeten dat ik met een man ben getrouwd die nog steeds aan zijn Hetty denkt. Die een dochter heeft die midden in de puberteit zit en een zoon die over enkele jaren zover is."

Ze zweeg toen ze Thomas' gezicht zag. Ineens deed hij haar weer denken aan de tijd toen ze hem pas leerde kennen. Toen had hij er ook zo ontredderd en verdrietig uitgezien.

,,Je hebt spijt van ons huwelijk?" zei hij langzaam.

,,Ik denk dat we het nog enige tijd hadden moeten uitstellen," gaf ze toe.

,,Het kind dat ik verwacht, heeft een en ander overhaast, maar eigenlijk had dat niet mee mogen spelen. Eerlijk gezegd, na die dagen in Frankrijk, dacht ik: we redden het wel. Ik geloof dat ik soms tamelijk naïef ben, Thomas."

,,Misschien kan ik Nicole op een internaat geplaatst krijgen, of tijdelijk in een pleeggezin," opperde hij. Het deed hem toch pijn dat ze niet onmiddellijk protesteerde. Het bleef geruime tijd stil. Eindelijk zei ze: ,,Wacht daar nog mee. Niet alleen voor haar, maar ook voor mij. Als Nicole het huis uit moet, heb ik nog meer het gevoel mislukt te zijn. Morgen praat ik met Cissy's moeder. Misschien heeft zij iets verstandigs te zeggen." Het klonk niet erg hoopvol. ,,Ik ga nu weer naar bed. Je komt er wel uit. Dag." Even legde ze haar hand tegen zijn wang, was dan verdwenen voor hij iets had kunnen zeggen.

Even later liep hij weer op straat, verre van gelukkig met de situatie. Stefanie was in sommige opzichten verstandig, terwijl ze toch veel jonger was dan hijzelf. Maar ze was ook impulsief. Hetty zou het nooit in haar hoofd hebben gehaald bij een vriendin te gaan slapen. Nee, hij moest niet vergelijken. Hij hield immers van Stefanie ondanks dat ze heel anders was dan Hetty, of misschien juist daarom. Maar dat was een gedachte die hij niet toeliet. Nog niet...

Thuis trof hij beide kinderen op Nicoles kamer.

Jasper vloog naar hem toe. ,,Nicole zei dat je misschien nooit meer terugkwam."

,,Hoe kun je zoiets denken? Ik laat jullie nooit in de steek." Hij dacht aan zijn opmerking tegen Stefanie over een internaat of een pleeggezin. Wat als hij moest kiezen? Als Stefanie het echt niet meer aankon? Zou hij dan de dochter van Hetty en hem het huis uit sturen?

Die nacht droomde hij. Hij was samen met Hetty aan het strand. Een klein meisje liep voor hen uit. ,,Onze dochter, je moet goed voor haar zorgen. Als je haar in de steek laat, houd je niet van mij... zij is van mij... van mij."
Het geluid van Hetty's stem donderde in zijn oren als het geruis van de branding. Hij werd met een schok wakker en zag Hetty zo duidelijk voor zich alsof ze bij hem in de kamer was. Het blonde haar bewoog in de wind, de diepblauwe ogen keken hem verwijtend aan.
,,Ik doe wat het beste is voor iedereen," mompelde hij verbaasd over zichzelf. Het was immers maar een droom. Zijn blik ging naar de foto van Stefanie die sinds kort op zijn nachtkastje stond. ,,Dat proberen we, nietwaar, Stefanie." Onwillekeurig glimlachte hij. Het was lang geleden dat hij over Hetty had gedroomd. Het was voor het eerst dat hij niet in tranen was, nadat hij haar weer zo duidelijk voor zich had gezien.

HOOFDSTUK 9

De volgende dag ging Stefanie naar het afgesproken restaurant. Het was een prettige gelegenheid met zachte vloerbedekking en rieten stoeltjes en rustige muziek op de achtergrond. Veel tafels waren bezet, meest met vrouwen van middelbare leeftijd. Ze zocht en vond een tafel aan de raamkant en bestelde koffie. Ze had zich niet zo hoeven te haasten, maar ze had er als eerste willen zijn. Terwijl ze haar koffie dronk, hield ze de deur in de gaten. Toen de jonge vrouw binnenkwam en zoekend rondkeek, stond ze op, waarna de ander haar richting uitkwam.
,,Jij moet Stefanie zijn. Ik ben Carla. Heb je al koffie besteld? Goed, dan neem ik ook. Geen gebak want ik moet aan mijn lijn denken."
Stefanie wierp een blik op het perfecte figuur van de ander, maar zei niets. Het was belachelijk om zelfs maar over de lijn te praten, als je zo slank was als die Carla. Ze voelde zich ineens plomp. De laatste weken was ze flink in omvang toegenomen. Ze kon er nu niet meer omheen; ze was in verwachting en iedereen kon het zien.

Ze wist ook dat ze zich bij lange na niet zo perfect verzorgde als deze vrouw. Ze had vanmorgen geen tijd genomen voor make-up en na de kleur van het haasten, zou ze nu waarschijnlijk bleek zien met donkere kringen om de ogen vanwege de onrustige nacht.
Ze merkte dat Carla haar zat op te nemen. ,,Laten we maar tot de zaak komen," zei ze kortaf.
,,Je schijnt me niet te mogen. Jammer, ik zou je misschien kunnen helpen."
,,Ik hoef niet geholpen te worden. Je wilde over Nicole praten?"
Carla glimlachte. ,,Wat ik zie is een aardige jonge vrouw, een beetje vermoeid, duidelijk in verwachting. Heel erg afwerend zie je eruit, zo van: waag het niet je met mijn zaken te bemoeien. Waarom doe je zo vijandig? Ik ben hier heus niet om jou te zeggen dat je de zaken verkeerd aanpakt."
Stefanie wist niet waarom de ander haar irriteerde, misschien door haar rustige zelfverzekerde optreden. Maar ze was geen type om lang naar woorden te zoeken en dan voorzichtig te formuleren. ,,Je zit daar zo duidelijk ouder en wijzer te zijn," flapte ze eruit.
,,Lieve help." Carla leek werkelijk ontdaan. Ineens begonnen ze beiden te lachen. ,,Ik zit bij het onderwijs en schijn wel vaker een beetje frikkig over te komen. Sorry, dat is niet mijn bedoeling."
Stefanie voelde zich ineens een beetje belachelijk dat ze zich zo duidelijk afwerend opstelde. ,,Nicole heeft een hekel aan me. Ik denk dat wij door erover te praten weinig aan de zaak veranderen," besloot ze tot de kern van het probleem te komen.
,,Nicole heeft het erg moeilijk," begon Carla voorzichtig. ,,Ik geloof niet dat ze een hekel aan je heeft. Ik geloof zelfs dat ze jou bewondert en aardig vindt. Tegelijkertijd voelt ze zich hierover schuldig tegenover haar moeder. Hetty was een vriendin van mij zoals je wel zult weten. Ze was een sterke persoonlijkheid, een beetje overheersend soms, maar dan op een vriendelijke manier. Alles was mogelijk bij haar en ze kon bijzonder goed organiseren. Ze was een echte perfectioniste, zowel in haar uiterlijk als in sociaal gedrag. Ze eiste dat ook van de kinderen. Ze moesten altijd beleefd zijn en ze mochten geen ruzie maken. Als je daar kwam, leek het een volmaakt gezin."

,,Heel anders dan nu het geval is," mompelde Stefanie onder de indruk.
,,Ja, maar de kinderen zijn nu groter, nietwaar? Het is helemaal niet zeker dat het Hetty was blijven lukken op die manier."
,,Ik begrijp echt niet wat Thomas ooit in me gezien heeft."
Carla lachte. ,,O, ik wel. Ik geloof zelfs dat het heel goed is dat jij zo anders bent."
,,Zoiets volmaakts was toch niet te vinden, bedoel je?"
,,Een dergelijke volmaaktheid, zoals jij het noemt, is niet altijd even leuk. Het lijkt me zelfs helemaal niet gemakkelijk met iemand te leven die in alle opzichten beter is dan jijzelf. Zowel op het gebied van opvoeden, als converseren, met mensen omgaan, creativiteit. Er was eigenlijk niets wat Hetty niet tot een goed resultaat bracht."
,,Lieve help, waarschijnlijk weet je intussen dat ik helemaal niets kan. Niet naaien of handwerken, niet bijzonder koken, opvoeden al helemaal niet. Ik weet ook niets van bloemschikken. Ik zet ze gewoon in een vaas, tot ergernis van Nicole."
Carla lachte luidop. ,,Welkom in de kring van vrouwen die een baan hadden en al die andere nuttige dingen zichzelf maar moesten aanleren. Als je het leuk vindt, gaan we samen op een cursus bloemschikken. Ik ga je een recept geven voor een notencake. Ik moet er eerlijkheidshalve wel bij zeggen dat ik dit ooit van Hetty heb gekregen. Denk nu niet dat ik hier zit om negatieve dingen over Hetty op te sommen. Ze was voor ons onmisbaar, evenals voor Tom en de kinderen. Ik wilde je alleen een beeld geven hoe zij was, want ondanks haar goede bedoelingen bezorgde zij mensen aan de lopende band minderwaardigheidsgevoelens. Ik kan me voorstellen – met al die goede herinneringen van Nicole – dat het voor jou bijzonder moeilijk is. Troost je, ook ik word regelmatig met haar moeder vergeleken. Maar ik kende Hetty dus ik kan er nog wel eens iets tegenin brengen.
Vorige week kwam ik Thomas tegen. Hij ziet er veel beter uit en hij lijkt ook een stuk zelfverzekerder dan een jaar terug. Op school ging het lange tijd niet goed. Hij kon de kinderen niet de baas maar dat was al zo voor Hetty dat ongeluk kreeg. Ik hoorde van iemand dat ook dat heel erg vooruit is gegaan. Hij lijkt meer zelfvertrouwen te hebben, ook voor de klas."

,,Aardig van je dat te zeggen. Maar het zou te veel eer zijn te beweren dat dit door mij komt."
,,Je kunt hem helpen, Stefanie. Volgens mij heeft hij het verdriet om Hetty eindelijk afgelegd en daarmee ook de druk die ze op hem uitoefende. Nogmaals, Hetty was dol op haar gezin en Thomas zag niemand dan alleen haar, maar ik vind dat je ook de andere kant moet weten. Hij kon niet tegen haar perfectionisme op. Nicole was elf jaar toen haar moeder overleed. Ze begon tegen bepaalde dingen in opstand te komen. Zij voelt zich daar nu schuldig over en dat is één van de redenen dat ze Hetty zo'n beetje heilig heeft verklaard. Van de week was ze weer bij ons en ik dacht onmiddellijk: er is iets. Na lang aandringen vertelde ze het mij. Ze was die dag voor het eerst ongesteld geworden."
Stefanie schoot overeind. ,,Dat ik daar niet aan gedacht heb. Ze had het tegen haar vader over buikpijn."
,,Ze is natuurlijk voorgelicht, dat was Hetty wel toevertrouwd, maar ze voelde zich een beetje alleen. Ze zei: 'Ik denk dat Stefanie me uitlacht als ik zeg dat ik dit heel vervelend vind. Zij houdt toch meer van Jasper'."
Stefanie zuchtte. ,,Het is zoveel gemakkelijker van Jasper te houden. Wat moet ik doen? Ik heb me nooit willen opdringen. Ze is zo afwerend."
,,Ik weet het. Ik kan je ook niet echt raad geven, maar ik vond dat je het wel moest weten. Nicole draait in een kringetje rond, van haar worden eigenlijk alleen maar negatieve reacties verwacht. Het is of ze niet anders meer kan."
De beide vrouwen keken elkaar aan en ineens sprong er een vonkje sympathie over. Stefanie begreep niet waarom Carla haar geïrriteerd had. Haar ogen waren vriendelijk en daarbij bleek ze oprecht met Nicole begaan.
,,Bedankt dat je mij belde."
,,Ik deed het impulsief. Ik had zo met Nicole te doen. Gisteren was ik boos op jou en Thomas. Ik dacht, ze zijn alleen met zichzelf bezig, maar ik weet nu dat ik onredelijk was. Nicole lijkt in veel dingen op haar moeder. Misschien worden jullie nooit vriendinnen, maar ik zou er toch voor willen pleiten het kind thuis te laten. Ze schijnt bang te zijn dat jullie haar uit huis doen en dat lijkt me niet de juiste manier om het kind te helpen."
Later, toen Stefanie langs de gracht naar huis liep, dacht ze dat

Carla op het laatst toch weer even de onderwijzeres was geweest. Ze zouden wel goed bij elkaar hebben gepast, Hetty en zij. Toch meende Carla het goed en ze moest zichzelf toegeven dat ze wel iets wijzer was geworden. Vol goede voornemens ging ze het huis aan de gracht binnen.
Het was vrij laat geworden, de kinderen waren al thuis. Ze zaten in de achterkamer. In één oogopslag zag Stefanie dat de bloemen voor Hetty's portret waren vervangen door een bloeiend plantje. Dit was uit praktisch oogpunt gebeurd. In de tuin was niets meer te halen en het was voor Nicole te duur om steeds bloemen te kopen. Stefanie had haar enkele exemplaren aangeboden uit het boeket dat ze iedere week zelf kocht, maar het meisje had koel geweigerd. Misschien vond ze het wel een soort ontheiliging als zij met haar vingers aan de bloemen kwam, die het portret van haar moeder sierden. Niettemin had ze haar toch de raad gegeven een plant te kopen en tot haar verbazing had het meisje die raad opgevolgd. Ze was echter wel zo verstandig er niets van te zeggen.
Ineens zag ze Jaspers gezicht, boos en verdrietig tegelijk.
,,Is er iets gebeurd?"
Jasper keek naar zijn zusje, zei dan: ,,Bartje is weg. Hij... Nicole liet de voordeur open en toen..."
,,Is hij de straat op?" De schrik stond in haar ogen te lezen en alle goede voornemens verdwenen op slag. ,,Waarom deed je dat? Het beest kan het niet helpen dat je een hekel aan míj hebt."
,,Ik deed het niet expres."
,,O nee? Je komt anders nooit op mijn kamer."
,,Ik zocht je."
In haar woede en ongerustheid merkte Stefanie niet dat dit voor Nicole een unieke opmerking was ten opzichte van haarzelf. Ze plaatste deze woorden onmiddellijk in het vak 'smoesjes'. ,,Je zocht mij? En toen je mij niet vond, ging je ook op de gracht zoeken en liet alle deuren open?" Het sarcasme was duidelijk in Stefanies stem te horen.
,,Ik ga hem wel zoeken," zei Nicole bijna in tranen.
Op hetzelfde moment werd er gebeld. Stefanie zag de hoopvolle blik van Jasper. Op Nicole lette ze niet. Als Bartje was gevonden, was ze erg onredelijk tegen het meisje geweest, ging het door haar heen. De kinderen volgden haar naar de voordeur.

Op de stoep stond een oudere heer met onder zijn arm een kartonnen doos. ,,Ik vrees dat ik hier uw poes heb. Het adres staat op het halsbandje."
Stefanie hield zich aan de deurpost vast. Ze voelde zich ineens duizelig. ,,Hij is toch niet..."
,,Hij werd aangereden, hier vlak bij. Ze rijden te hard hier op de gracht. Hij moet in één klap dood zijn geweest. Hij heeft er niets van geweten."
Stefanie opende de deur wijder en de man zette de doos in de gang. Bartje lag gestrekt, het kopje iets naar achteren.
,,Waarschijnlijk de nek gebroken. Het spijt me dat ik u zo'n boodschap moest brengen. Ik begrijp dat ik u erg heb laten schrikken, maar ik kon hem daar niet laten liggen. Dan wordt hij opgeruimd en... U kunt hem nu zelf begraven."
,,Hartelijk dank voor de moeite," bracht Stefanie uit.
De man knikte nog eens en verdween dan door de openstaande deur die hij resoluut achter zich dichttrok. Dit scheen voor Jasper het sein te zijn in tranen uit te barsten.
Stefanie zakte door haar knieën en hield het kind tegen zich aan. ,,O, Jassie, Jassie." Ook bij haar stroomden de tranen over haar wangen.
Nicole stond roerloos. Ze staarde met grote brandende ogen naar het stille kattelijfje. Ze zou ook Nicole tegen zich aan moeten trekken, ook zij hield van Bartje. Maar op dit moment kon ze het niet. Nicole was de oorzaak van deze narigheid. Ze kon het niet anders zien. Toch, toen het meisje wegliep, langzaam, aarzelend leek het wel, voelde Stefanie zo'n medelijden met het eenzame figuurtje dat ze nog heftiger begon te snikken.
Zo vond Thomas hen. Hij zag onmiddellijk de doos met de trieste inhoud. ,,Ach, hoe is dat gekomen? Is hij ontglipt?"
,,Nicole liet alle deuren open. Misschien wilde ze wel dat hij wegliep," snikte Jasper.
,,Nietwaar," schreeuwde zijn zusje van bovenaan de trap.
,,Dat was buitengewoon slordig van je, Nicole," zei haar vader strak. Hij trok Stefanie en Jasper tegen zich aan. ,,Zij heeft dit niet gewild, dat moeten jullie geloven. Ze heeft het zo niet bedoeld."
,,Je zult wel gelijk hebben. Maar als ze niet zo'n hekel aan mij had, zou ze misschien zorgvuldiger omgaan met datgene waar ik van houd. Vind je het goed dat we hem eerst begraven?"

Terwijl Thomas een vierkant grafje maakte, zat Jasper bij de doos geknield en praatte tegen de kat of deze hem nog kon horen. Toen Stefanie opkeek, zag ze Nicole bij de tuindeuren staan en ze maakte een gebaar van 'Kom maar'.
Ze kwam schoorvoetend naderbij. Haar lip trilde en toen Stefanie een hand naar haar uitstak, gooide ze zich tegen haar aan. Heftige snikken deden haar schouders schokken. Stefanie hield een arm om haar heen. Nog steeds huilend knielde Nicole bij de doos en legde het meegebrachte dekentje over de poes. Jasper hielp de plaats markeren met losse steentjes. Op zijn gezicht zaten vuile vegen van opgedroogde tranen.
Na het eten zaten ze nog wat bedrukt bij elkaar. Ook Nicole was deze keer beneden gebleven.
,,Nu kunnen we nooit verhuizen. Bartje ligt in de tuin, we kunnen hem niet alleen laten,'' zei Jasper ineens.
,,Nu Bartje dood is, weet hij niets meer en kan hij zich ook niet alleen voelen,'' reageerde Thomas nuchter. Hij keerde zich naar Stefanie. ,,Ik reed vanmorgen door één van de buitenwijken. Daar staan enkele aardige huizen te koop.''
,,Wil je verhuizen?'' vroeg ze stomverbaasd.
,,Eigenlijk niet, maar ik geloof dat het verstandiger is.'' Hij wierp een blik op Nicole die hem even aankeek, dan opstond en de kamer verliet. Thomas zuchtte diep.
,,Ik vind een verhuizing best spannend. Dan wel een groot huis met een tuin zoals bij oma en dan kunnen we een hond nemen en een poes.'' Jasper was even afgeleid van zijn verdriet om Bartje.
Toen ook hij naar boven was, begon Stefanie langzaam het vertrek door te lopen. Ze stond stil bij de half afgemaakte tekening van Hetty. Het was een stukje van de tuin, precies zoals deze er nu ook uitzag. Het papier was inmiddels vergeeld door het daglicht. Ze bleef staan tegenover Hetty's portret.
,,Ik heb erover gedacht het jouwe daar neer te hangen. Dat wat die Franse schilder heeft gemaakt,'' zei Thomas.
,,Alsjeblieft niet. Doe dat nooit, ook niet als ik dood ben. Ik wil na mijn dood geen mensen domineren.''
,,Wat bedoel je daarmee?'' Het klonk afwerend, en ineens moest Stefanie weer denken aan de woorden van Thomas' moeder. 'Geef Hetty gewoon een plaats, dan zal ze steeds minder belangrijk worden'. Zoiets zou ze zeker niet bereiken door op

haar af te geven. Trouwens, met welk recht zou ze dat doen? Ze had haar niet eens gekend, hoewel ze soms het gevoel had dat ze al veel over haar wist.
Thomas sprong onmiddellijk in de verdediging en dat zou hij wel blijven doen.
Toch zei ze: ,,Ik praatte met Carla. Ze vertelde mij hoe perfect jouw vrouw altijd alles regelde. Ik ben er inmiddels achter dat ik niet bij haar in de schaduw kan staan."
,,Onzin!" Het woord knalde zo verontwaardigd door de kamer dat ze waarschuwend naar boven wees. ,,Stefanie, er zijn dingen die haar gemakkelijk afgingen en jou blijkbaar niet. Maar jij bent haar in andere dingen de baas."
,,In wat bijvoorbeeld?"
,,Spontaan dingen eruit flappen, huilen, lachen, ruzie maken. Ik hoef niet alles zo goed te doen. Soms denk ik dat het laatste een opluchting is, maar ik durf die gedachte niet toe te laten."
Ze keken elkaar aan en ineens had Stefanie het gevoel dat er draden tussen hen werden geweven die sterker waren dan hetgeen er tot nu toe tussen hen was.
,,Wat vertelde Carla over Nicole?"
Ze vertelde hem dat zijn dochter ongesteld was geworden. ,,Ik wilde daar wat aandacht aan geven, een klein cadeautje en zo, maar door Bartje liep alles verkeerd. Ik kan zo weinig hebben eigenlijk." De tranen schoten haar onverhoeds in de ogen.
,,Toe Steffie, verontschuldig je niet. Er zijn veel soorten verdriet, daar ben ik inmiddels achter. Als je een verlies hebt geleden, denk je dat anderen vrolijk door het leven gaan, terwijl alleen jou zelf zoiets afschuwelijks is overkomen. Ik weet dat ik al het andere leed van tafel veegde, omdat er niets ergers bestond dan het mijne."
,,Het is denk ik ook één van de ergste dingen die een mens kan overkomen," zei Stefanie eerlijk.
,,Zo langzamerhand heb ik het gevoel dat er toch weer een toekomst is voor ons alle vier. Vijf straks."
Stefanie dacht aan Nicole, maar ze wilde hem niet ontmoedigen. Ze ging die avond naar Nicoles kamer. Het meisje lag al in bed maar was klaarwakker.
,,Het spijt me zo van Bartje," waren haar eerste woorden.
,,Mij ook," antwoordde Stefanie rustig. ,,Ik weet dat het niet met opzet gebeurde, maar ik ben er erg verdrietig over."

„Het is toch gek dat Bartje zelf niet weet dat hij ons zo plotseling in de steek laat en dat wij daar erg verdrietig over zijn."
Stefanie keek haar opmerkzaam aan.
„Zijn mensen ook zo... als ze dood zijn? Zo... helemaal weg?"
Stefanie kon alleen knikken.
„Zou mamma... Soms dacht ik dat het niet waar kon zijn. Ik dacht dan, misschien is ze wel gewoon weggegaan. Ze heeft wel eens gezegd: 'Ik zou niet kunnen leven in een huis waar altijd rommel was'. Ze was soms boos als ik mijn kamer niet opruimde, en dat deed ik haast nooit."
Stefanie ging op de rand van het bed zitten. „Lieverd, dergelijke dingen zeggen moeders altijd. Je moet jezelf nergens de schuld van geven. Niemand was schuldig aan dat ongeluk, alleen de barre weersomstandigheden."
„Dat zegt pappa ook. Maar soms was ik erg kwaad op haar."
Nicole fluisterde nu.
„Dat is normaal. Dat je wel eens boos bent op mensen waar je van houdt. Personen die je niet interesseren, daar word je meestal niet kwaad op. Je moeder was vast ook wel eens boos."
„Mamma zei altijd dat het niet netjes was kwaad te worden of te schreeuwen."
„Luister, Nicole. Je moeder was net zo vaak kwaad als ieder ander, alleen wilde ze het niet laten zien. Er zijn nu eenmaal mensen die zich altijd beheersen. Ze kunnen niet anders."
Nicole keek haar opmerkzaam aan. „Zou jij een hekel aan mamma hebben gehad?"
„Waarom? Omdat ze heel anders was dan ik? Twee totaal verschillende mensen worden soms zelfs vrienden," antwoordde Stefanie diplomatiek. Maar ik niet, ik nooit met een figuur zoals die Hetty, dacht ze er opstandig achteraan.
„Stefanie, ik vind het niet leuk om oud te worden."
„Oud? Jij? Lieve help, kind..."
„Mamma zei altijd: 'Als je eenmaal ongesteld bent, dan ben je een vrouw'. Ik wil nog lang geen vrouw zijn."
„Soms zeggen mensen dat op die manier. Maar in werkelijkheid duurt het nog heel lang. Je gaat nu naar het vrouw-zijn toegroeien."
„Weet je het van mij?"
Stefanie glimlachte. „Ja, ik weet het. Je hoort er nu echt bij. Je bent geen kind meer." Ze ging nog even door met wat prakti-

sche raadgevingen. Zij was voor een nuchtere, heldere aanpak. Het was uit de tijd om deze zaken met geheimzinnigheid te omgeven.
,,Ik vind het niet leuk," bromde Nicole.
,,Je moet je er niet druk om maken. Het is soms een beetje lastig, maar verder..."
,,Nou, ik ben blij dat je even naar boven kwam. Wil je nu de deur dichtdoen als je weggaat?" Ze ging liggen en draaide zich op haar zij.
En dat was dat, dacht Stefanie. Als Nicole vond dat het genoeg was geweest, liet ze dat duidelijk merken.
Zou ze nu wat nader tot Thomas' dochter zijn gekomen of was het een momentopname? Alleen de tijd zou dat duidelijk maken.

De wintermaanden verliepen zonder bijzondere gebeurtenissen, tot Thomas op een avond vertelde dat hij een huis op het oog had. Stefanie was even sprakeloos, maar de kinderen hadden onmiddellijk commentaar. Jasper had het over de school en zijn vriendjes. Nicole zei verontwaardigd dat dit hun echte huis was en dat ze nooit meer een woning zouden krijgen die zo was ingericht.
Stefanie mengde zich in het gekrakeel door te zeggen: ,,Het hoeft toch niet hetzelfde; het kan toch wel gezellig zijn. De sfeer wordt gemaakt door de mensen die er wonen, zeg ik altijd."
Thomas glimlachte haar toe. ,,Dat heb jij ruimschoots duidelijk gemaakt de laatste maanden. Ik stel voor dat we morgen gaan kijken."
Hoewel Stefanie inmiddels aardig gewend was in het huis aan de gracht, was ze toch opgelucht door deze stap van Thomas. De laatste maanden waren in redelijke harmonie verlopen, maar het kon niet uitblijven dat ze voortdurend tegen dingen van Hetty aanliep. Of het nu haar kleding was die nog steeds op de zolder hing, of de stapels boeken over teken- en schildertechnieken, er was zoveel waar zij niets mee van doen had, maar wat toch deel uitmaakte van dit huis.
Toen het de volgende dag zover was dat ze zouden gaan kijken, weigerde Nicole pertinent mee te gaan. Hoewel ze in sommige opzichten wat inschikkelijker was geworden, had ze nog steeds

dagen dat er werkelijk niets met haar was te beginnen. Stefanie wist inmiddels dat niet alles aan het feit lag dat zij in huis was als de vrouw van haar vader. Nicole zat midden in de puberteit en was tamelijk labiel. Stefanie probeerde zich zo min mogelijk van haar buien aan te trekken, maar gemakkelijk was dat zeker niet.
Uiteindelijk vertrokken ze met zijn drieën. Het bleek een vrijstaand, modern huis, gelegen in een mooie laan. De tuin was vrij groot maar verwaarloosd. De indeling van het huis beviel Stefanie onmiddellijk. Dus de dag daarop stond er een bordje 'Te koop' bij het grachtenhuis.
Er kwamen nogal wat mensen kijken, maar het duurde toch enkele weken voor het huis was verkocht. Voor sommigen was het te duur, anderen wilden wat meer ruimte of vonden het daarentegen te groot. Uiteindelijk werd het pand verkocht aan een jong stel.
Ze kwamen kijken toen Nicole ook thuis was en zij hoorde hen praten over de veranderingen die ze wilden aanbrengen. Dit schokte haar zo dat ze zei: ,, Maar het huis is toch prachtig zoals het is.''
,,Het ziet er wel aardig uit, maar een beetje oubollig. Wij wilden liever een moderne inrichting met veel wit, dus moeten we vloeren en wanden aanpassen.''
,,Mamma vond wit een kille kleur,'' zei Nicole toen ze weg waren.
,,Ja, liefje, smaken verschillen nu eenmaal,'' antwoordde Stefanie zachtzinnig.
Ze was nu inmiddels zeven maanden in verwachting en de laatste tijd snel vermoeid. Discussies met Nicole ontliep ze zoveel mogelijk.
Er brak nu een zeer drukke tijd aan. Francine was van mening dat het gekkenwerk was. Ze vroeg waarom ze niet gewacht hadden tot het kind er was. Waarop Stefanie antwoordde dat ze het dan nog veel drukker zou hebben en dat ze blij was dat haar kind nooit in het grachtenhuis zou wonen want de geest van Hetty zou daar nooit verdwijnen.
Dat bleek weer eens te meer toen ze Nicole op een middag op de zolder vond, temidden van haar moeders kleren.
Misschien kwam het doordat Stefanie oververmoeid en gespannen was door alle regelingen en werk van de laatste tijd, dat ze

boos uitviel: ,,Wat zit je hier nou tussen alle relikwieën. Je kunt mij niet wijsmaken dat je nog voortdurend aan haar denkt."
Nicole stond langzaam op, waardig bijna. Met dodelijke ernst zei ze: ,,Waarom zou ik níet aan haar denken? Ik heb immers geen andere mamma. Pappa heeft wel een andere vrouw, maar ik heb niemand."
Stefanie die de laatste tijd het gevoel had gekregen dat ze wat dichter tot elkaar waren gekomen, voelde zich moedeloos worden. ,,Je wilt toch niet dat ik je moeder ben, wel?"
,,Natuurlijk niet. Jij wordt nu de echte moeder van een ander kind. Jasper en ik zijn niet van jou en dat zullen we ook nooit worden."
Stefanie had al vaker dergelijke opmerkingen van Nicole te horen gekregen, maar het was of ze het ineens niet meer kon hebben. Ze draaide zich snel om en vluchtte haast naar beneden, pakte haar jas van de kapstok en verdween naar Francine, die overigens niet thuis was. Ze had echter een sleutel, dus liet ze zichzelf binnen. Ze keek rond in de rustige kamer waar het groen van veel planten overheerste. Misschien is een leven alleen toch te verkiezen, dacht ze, tegen haar tranen vechtend.
Laat in de middag kwam Francine thuis en vond haar vriendin slapend op de bank.
,,Het leven is voor jou bepaald geen peuleschilletje. Was er nou echt geen andere mogelijkheid dan te trouwen met deze weduwnaar die zijn vrouw niet kan vergeten. Plus die kinderen..."
In zichzelf pratend, legde ze een plaid over Stefanie heen, waarop deze wakker werd.
,,Daar zijn we dus weer," constateerde Francine nuchter.
Stefanie streek de haren uit haar gezicht. ,,De laatste tijd wordt het me wel eens te veel."
,,Ik heb je gewaarschuwd," reageerde Francine schoolmeesterachtig.
,,Waar ik nog het meest moe van wordt, is het opruimen. Dingen die volgens mij weg kunnen, moeten eerst door drie personen worden gecontroleerd, en meestal blijkt het desbetreffende voorwerp dan toch voor iemand waardevol te zijn. Neem nou de kleren van Hetty. Het heeft toch geen enkele zin dat alles te bewaren? Ik zal er nooit iets van dragen zoals je zult begrijpen. Trouwens, veel is inmiddels niet meer modieus. Daarnaast zijn er veel persoonlijke eigendommen van Hetty.

Ik begrijp heus wel dat we niet alles kunnen vernieuwen en dat er aan sommige voorwerpen dierbare herinneringen zijn verbonden. Maar als er niets weg mag, zal Hetty ook in dat andere huis wonen. Wat heeft verhuizen dan voor zin? Dan worden de meubels weer geplaatst zoals ze nu staan. Dan zit het recept van de Ierse cake opnieuw tegen de binnenkant van de keukenkast geplakt, compleet met aantekeningen hoe deze nog lekkerder wordt." Ze begon plotseling te huilen.
Francine schudde haar hoofd. ,,Je bent oververmoeid. Rust nu maar eens enkele dagen uit. Ik ga nu koken, knap jij je intussen wat op. Er hangt een badjas in de douche. Na het eten draaien we een film, ik heb er enkele op de video waarbij valt te lachen. Je gaat vroeg naar bed. Morgen heb ik vrij dan zal ik voor je zorgen."
Stefanie liet zich de zorgen van Francine aanleunen. Ze was inderdaad doodmoe en had de neiging ieder moment in tranen uit te barsten.
Na het eten zei Francine: ,,Ik ga nu eerst naar Thomas, anders staat hij straks weer op de stoep en daar heb ik geen zin in. Maak maar een lijstje van wat ik moet meenemen."
Stefanie begon zonder protest een briefje te maken. Dit verontrustte Francine nogal, haar vriendin moest inderdaad aan het eind van haar latijn zijn.
Het was Thomas zelf die de deur opende. ,,Ze is zeker bij jou," zei hij bij wijze van begroeting.
,,Ik kom met je praten, liefst met de kinderen erbij," antwoordde Francine kortaf.
Even later zaten ze in de kamer, Nicole en Jasper op de bank. Francine keek het vertrek rond, haar misprijzende blik bleef even op het portret van Hetty rusten. ,,Wat ik me al een hele tijd afvraag is dit. Thomas, wil je dat Stefanie bij je blijft?"
,,Wat is dat voor een vraag. Ik ben met haar getrouwd."
Koel keek Francine hem aan. ,,Dat hoeft geen reden te zijn. Ik hoop dat ik haar morgen naar de dokter kan krijgen. Volgens mij is ze bijna overspannen. O, niet van het werk. Het is de geestelijke spanning die haar opbreekt. Ik vind dat heel erg. Stefanie is sterk; ze kon altijd veel aan. Maar ze heeft het laatste jaar voortdurend tegen allerlei geesten moeten opboksen."
Ze keek Nicole aan, die haar blik neersloeg.
,,Zie je niet, Thomas, dat dit hele huis het stempel draagt van je

eerste vrouw? Neem nou dat portret. Kun je niet met een gewone foto volstaan? Nu je met Stefanie bent getrouwd, moet Hetty hier niet meer wonen. Je hoeft haar niet te vergeten, dat zul je nooit kunnen. Dat wordt ook niet van je verwacht. Alleen, jullie moeten eindelijk inzien dat Hetty ergens anders is. Twee vrouwen in één huis is te veel."
,,We gaan immers verhuizen," verdedigde Thomas zich.
,,Wat schiet je daarmee op als alles hetzelfde blijft? Alleen de buitenkant en de omgeving zijn dan anders. Waarom zet je niet enkele meubelstukken op de kamers van de kinderen? Je bewaart wat persoonlijke herinneringen, als het kan niet vlak onder Stefanies neus. De rest doe je gewoon weg, daar zijn instellingen voor."
,,Je wilt dat ik het radicaal aanpak," mompelde Thomas.
,,Als je Stefanie wilt houden, lijkt dat me de enige weg. Tenzij je alleen met je herinneringen wilt leven." Ze keek naar de twee kinderen op de bank. ,,Begrijpen jullie wat ik je vader probeer duidelijk te maken?"
Jasper knikte ijverig. ,,Ik wil dat Stefanie hier blijft."
,,Jullie willen dat ik een hekel aan mamma krijg," zei Nicole strak.
,,Daar is vooralsnog weinig kans op en dat hoeft ook niet. Maar je zou kunnen proberen Stefanie te accepteren als de vrouw van je vader en straks als de moeder van een broertje of zusje."
Nicole stond op. ,,Denken jullie soms dat ik niet zonder haar kan?" Daarop verliet ze het vertrek.
,,Wat is zij toch verdomd koppig," viel Francine uit. ,,Ik ben blij dat ik niet in Stefanies schoenen sta."
,,Nu, dat sta je niet en het is hoogst onwaarschijnlijk dat dat ooit zal gebeuren," reageerde Thomas geprikkeld.
Francine grinnikte even en hij deed met haar mee. Ze spraken af dat ze het oordeel van de dokter zouden afwachten en daarna samen met Stefanie zouden bespreken wat het beste was.
Thomas zou de volgende dag na schooltijd bij Francine langs gaan. Stefanies dokter was de huisarts van Thomas. Hij wist hoe de situatie bij hem thuis was, wat het gesprek gemakkelijker maakte. Stefanie vertelde hem een en ander, ook over de problemen met Nicole.
,,Ik geloof dat die verhuizing heel verstandig is. Je kunt iemand niet voorschrijven hoelang hij moet blijven rouwen, maar nu,

na drie jaar, lijkt het mij dat Thomas het ergste heeft gehad. Trouwens, het gaat een stuk beter met hem sinds hij jou heeft leren kennen. Jullie redden het wel. Over Jasper maak ik me evenmin zorgen. Mét jou geloof ik dat Nicole haar verdriet niet op wil geven. Misschien komt dat voort uit schuldgevoel. Mogelijk denkt ze dat ze haar moeder op de een of andere manier in de steek laat. Ze is een gesloten kind. Wat jezelf aangaat, het beste kun je enkele weken weggaan. Laat henzelf de verhuizing maar opknappen. Misschien doet Nicole gemakkelijker afstand van dingen als jij er niet bij bent en je er mogelijk mee bemoeit. Daarbij, jij moet ook aan je kindje denken. Je bent op het moment erg gespannen en de bloeddruk is te hoog. Kun je ergens heen waar je afstand kunt nemen?"
,,Ik zou naar Frankrijk kunnen gaan. Daar woont mijn vader."
,,Dat is een prima idee. Ik zal je de gegevens meegeven, voor het geval je daar wat langer blijft."
Of voor als het kind eerder komt, dacht Stefanie. Ze begreep best dat de dokter zoiets niet zei om haar niet ongerust te maken. Maar ze was verpleegkundige. Ze wist dat baby's zich soms weinig aantrokken van geplande datums.
Toen ze naar Frankrijk belde, was Gina onmiddellijk enthousiast. ,,Je kunt hier heerlijk uitrusten, daar zal ik wel voor zorgen. We krijgen alweer zoveel mooie dagen. Je vader zal het ook gezellig vinden."
Dit laatste betwijfelde Stefanie. Haar vader had zich nooit veel aan haar gelegen laten liggen. Hierdoor was ze blij dat Gina er was, die ze zo langzamerhand beschouwde als een wat oudere vriendin.
Ze ging diezelfde avond terug naar het huis aan de gracht. Ze pakte twee grote koffers die Thomas op de trein zette. Ze wees hem nog enkele dingen aan die ze graag wilde meenemen naar het andere huis.
,,Ik mag dus aannemen dat je terugkomt." Ze zaten op de bank, hij met zijn arm om haar schouders.
,,We zijn getrouwd, Thomas. Zo gemakkelijk kom je nu ook weer niet van me af."
,,Ik wil niet van je af, mijn hele leven wil ik dat je bij me blijft. Ik begrijp dat dit het beste voor jou is, maar ik vind het heel erg dat je weggaat."
Nicole kwam binnen, plofte tegenover hen. ,,Ik dacht dat je al

weg was," merkte ze onverschillig op. ,,Ik vind het niet leuk dat ze gaat," wees Thomas haar terecht.
,,Dat zal wel niet. Ze komt toch weer teru-ug." Het laatste zei ze op een toon van, 'zeur toch niet zo'.
Deze keer ging Stefanie met de trein. Thomas had de vertrektijden op alle stations samen met Jasper uitgezocht en een lijstje voor haar gemaakt. Dit laatste overigens meer voor zijn zoon die het leuk vond te weten waar Stefanie van uur tot uur was.
Ze brachten haar naar het station. Ook Nicole ging mee. Eenmaal in de auto dacht Stefanie dat ze waarschijnlijk nooit meer naar het grachtenpand zou terugkeren. Toch keek ze niet één keer om. Er werd niet veel meer gezegd. Stefanie wist dat ze zich beiden inhielden vanwege Nicole die hen met argusogen in de gaten hield.
De treinreis verliep vlot. Haar vader kwam haar op het station van Clermont-Ferrand, afhalen. Het viel haar onmiddellijk op dat hij er ouder uitzag dan een half jaar geleden. Hij leek wat vermoeid en trager in zijn bewegingen. Het leek haar ineens volkomen absurd dat hij kans had gezien Francine te verleiden.
Onderweg ging het gesprek over de treinreis en over de omgeving. Er was hier al veel meer van het voorjaar te zien dan in Nederland.
Maar op een gegeven moment moest ze het vragen. ,,Gaat met u beiden alles goed?"
,,Ik vind dat ik me te oud voel voor mijn leeftijd en aan jouw gezicht te zien daarnet, vind jij dat ook."
,,Nou, ik..."
,,Nee, ontken het maar niet. Ik ben nogal vermoeid de laatste tijd. Gina zegt dat het komt omdat ik te wild heb geleefd. Dus ik doe nu heel rustig aan.
,,Ik denk dat hij in de overgang is," zei Gina later spottend.
Maar toen ze alleen was met Stefanie vertelde ze over haar zorgen. ,,Hij is zo weinig actief. Een tijdje geleden kon hij enkele minuten zijn arm niet bewegen en gisteren zag hij even niets door zijn ene oog. Ik weet zeker dat hij zich ook ongerust maakt, maar hij weigert een dokter te raadplegen."
Door alles wat Gina vertelde, begreep Stefanie dat het best ernstiger kon zijn met haar vader dan hij zelf vermoedde, maar het had geen zin hen nog ongeruster te maken door te gaan vertellen wat zou kunnen gebeuren.

Ze vertelde van de verhuizing en dat alles haar te veel was geworden. Ze wijdde echter niet uit over details in verband met de eigendommen van Hetty of over Nicoles vijandige houding. Ze had het gevoel dat Gina wel genoeg had aan haar eigen zorgen.
Ze ging vroeg naar bed en werd de volgende morgen pas wakker toen de zon al uren op was. Onmiddellijk nam ze zich voor niet meer zo lang te luieren. Ze bezocht die dag wat bekende plekjes, droomde een beetje weg in de tuin en ging opnieuw vroeg naar bed. Haar behoefte aan slaap was onvoorstelbaar. Ze miste Thomas echter meer dan ze voor mogelijk had gehouden en ook om die reden deed ze haar best zoveel mogelijk uit te rusten, om haar verblijf hier zo kort mogelijk te houden.

HOOFDSTUK 10

Ze was de derde dag opnieuw vroeg naar haar kamer gegaan met de gedachte een brief aan Thomas te beginnen. Ze zocht briefpapier in een lade van het bureau toen ze Gina hoorde roepen. Onmiddellijk reageerde ze. Er klonk duidelijk paniek in Gina's stem en toen ze beneden kwam, begreep ze waarom. Haar vader lag voorover op tafel, zijn ogen waren verdraaid. Hij had een hoogrode kleur en maakte vreemde snurkende geluiden. Van haar opleiding en uit de praktijk herkende Stefanie de symptomen onmiddellijk.
,,Waarschuw direct een dokter."
,,Opbellen," bracht Gina uit.
Stefanie probeerde haar vader een wat gemakkelijker houding te geven en begon de koffie op te deppen. Hij had de kom omgegooid. De donkere vloeistof drupte nog steeds op de vloer.
,,Hij komt! Het is ernstig, nietwaar?" vroeg Gina toen ze terugkwam.
,,Ik denk dat hij een attaque heeft gehad," antwoordde ze eerlijk.
,,Toen ik de dokter zei wat er gebeurd was en hoe hij was... Hij zou gelijk een ambulance bellen. Die is dus nu onderweg." Gina was op de stoel neergezakt die het dichtst bij Carl stond, en

streelde zachtjes de hand die slap neerhing. Ze leek ineens jaren ouder.
De dokter was er binnen tien minuten. Hij scheen in één oogopslag te zien wat er aan de hand was.
,,Het is ernstig, nietwaar?" vroeg Gina ook aan de arts.
,,Ernstig genoeg. Maar hoe ernstig weten we pas morgen."
Gina ging mee in de ambulance en Stefanie besloot haar niet alleen te laten. Ze zag er zo ontredderd uit. Hoe moest dit allemaal aflopen?
Bij de eerste onderzoeken bleek Carl Berkhof halfzijdig verlamd, maar al de volgende dag kon hij zijn arm bewegen en langzaam spreken. De dokter was tamelijk optimistisch. Hij verwachtte in enkele dagen een grote verbetering. Hij kreeg gelijk, alleen zijn been bleek niet meer in staat hem te dragen. Maar ook dat kon in de loop van een paar maanden nog een stuk verbeteren. Voorlopig was hij echter rolstoelpatiënt.
Stefanie kon zich haar charmante, levendige vader niet in een rolstoel voorstellen.
Gina bleef er uiterlijk tamelijk onbewogen onder. ,,Ik ben al blij dat ik hem mag behouden. Het is nu een geluk dat ik zoveel jonger ben," vertrouwde ze Stefanie toe.
Carl werd echter woedend toen Gina dit ook tegen hem zei. ,,Je vindt het prachtig mij als een kind te kunnen behandelen. Volgens mij geniet je van mijn hulpeloosheid."
,,Hoe kunt u zoiets zeggen! Dit is voor Gina minstens even erg als voor jou. U zult nog merken dat ze spijt krijgt dat ze ooit met je begonnen is." Stefanie was woedend.
Haar vader bond wat in, maar tot Stefanies verbazing was Gina helemaal niet blij met deze verdediging. ,,Je moet zoiets niet zeggen. Hij kan niet afhankelijk zijn. Hij zal zich zo ongelukkig voelen. Hoe kan ik zorgen dat hij zijn waardigheid behoudt?"
,,En jij dan?" viel Stefanie verontwaardigd uit.
Er gleed onverwachts een glimlach over Gina's gezicht. ,,Ik houd van hem. Eindelijk zal ik hem voor mij alleen hebben."

Ik blijf me verbazen over de wonderlijke verhouding die deze twee mensen hebben, schreef Stefanie aan Thomas.
Ik schaam me het neer te schrijven, maar zelfs nu hij in het ziekenhuis ligt, is mijn vader alweer aan het flirten met de verpleegsters. Wat dat betreft heeft Gina gelijk, nog jaren zou ze

niet zeker van hem zijn geweest. Nu is hij aan huis gebonden en van haar afhankelijk. Jammer dat ik geen bewondering voor mijn vader kan hebben, zoals voor haar. Intussen zul je begrijpen dat ik nu wat langer wegblijf dan eerst de bedoeling was. Gina kan dit op het moment niet allemaal alleen aan. Ik voel me prima en ons kindje ook. De temperatuur is heerlijk, ik ben veel buiten.
Ik kwam Jerôme weer tegen. Je weet wel, degene die mijn portret heeft geschilderd. Hij vond mij prachtig zwanger, wat hij daar ook mee mag bedoelen. Ik ben benieuwd of jullie inmiddels over zijn naar de Magnolialaan. Ik neem aan dat de kinderen voor de zomervakantie niet van school veranderen. Of misschien kan Nicole wel altijd op de fiets gaan. Op die leeftijd zijn vriendinnen zo belangrijk.

Ze vertelde verder over de tuin die steeds mooier werd en over het ziekenhuis waar enkele zaken heel anders gingen dan in Nederland. Ze schreef ook dat Gina het plan had geopperd een hond voor haar vader aan te schaffen.

Ze is zo fijngevoelig. Ik vind absoluut niet dat mijn vader zo'n vrouw verdient. Ik ben wel van plan hem dat duidelijk te maken als hij zo nors blijft doen.

Thomas had de kinderen gedeelten uit de brief voorgelezen en schoof deze weer terug in de enveloppe.
,,Waarom schrijft ze niet wanneer ze terugkomt?'' vroeg Jasper.
,,Omdat ze dat nog niet weet.'' Thomas keek rond in de gedeeltelijk ontmantelde woning. Het was zaterdag, pas volgende week zouden ze definitief overgaan.
,,Het zou leuk zijn als we alles op orde hadden als ze terugkomt,'' peinsde hij hardop.
,,Ik weet het nog zo net niet. Ik weet niet of ze wel terugkomt,'' liet Nicole zich onverwachts horen.
,,Natuurlijk komt ze. Ze weet alleen niet precies wanneer dat zal zijn,'' zei Thomas met meer zekerheid dan hij voelde.
In zijn hart maakte hij zich ongerust. Het beviel hem niet dat ze die schilder weer had ontmoet. Natuurlijk, hij vertrouwde haar, maar een gemeen stemmetje zei hem soms dat hij nooit

zeker kon weten of ze uiteindelijk niet op haar vader leek. De Franse zwier van Jerôme had haar wel aangetrokken, dat had hij wel gezien. Hij had overigens nooit iets gemerkt van aandacht voor andere mannen en de heftige verontwaardiging over het gedrag van haar vader leek echt. Toch, zo lang kende hij haar nog niet. Soms vroeg hij zich af waarom deze aantrekkelijke jonge vrouw, tien jaar jonger dan hijzelf, iets in hem zag. Hij met zijn verleden... Daarbij bracht hij dan ook nog twee kinderen mee. De gedachte kwam bij hem op dat ze misschien niet met hem getrouwd zou zijn als ze niet in verwachting was geweest. Ze vond immers zelf dat ze er te veel haast achter hadden gezet.

Wat zou er gebeuren als het kind er eenmaal was? Misschien kwam ze wel tot de ontdekking dat ze ook door het leven kon gaan als ongehuwde moeder. Stel dat ze in Frankrijk wilde blijven. Ze voelde zich er prettig, dat had hij al vaker gemerkt. Thomas ging zich bij al deze gedachten steeds ongemakkelijker voelen. Toen de telefoon rinkelde, had hij even de vage hoop dat zij het was om hem te zeggen dat ze thuiskwam.

Het was Francine die hem vroeg of hij zin had met de kinderen bij haar te komen eten en daarna ergens heen te gaan, want bij hem was het waarschijnlijk een puinhoop. Hij was blij met de afleiding en de kinderen ook, want zelfs Nicole protesteerde niet.

Francine had de tafel gedekt met een vrolijk tafellaken en enkele vaasjes bloemen. Ze bleek een enorme pan soep te hebben gemaakt en ze had pannekoeken gebakken.

Jasper waardeerde vooral het laatste. Op een gegeven moment zei hij volkomen ernstig: ,,Waarom heb jij geen man? Als je toch zulke pannekoeken kunt bakken.''

De anderen barstten in lachen uit. Maar Jasper liet zich niet van zijn onderwerp afbrengen. ,,Het is toch jammer voor je. Heb je nooit een man gehad?'' drong hij aan.

,,Jasper toch.'' Zijn vader raakte met de zaak verlegen.

,,Laat hem maar. Kijk, Jasper, niet alle vrouwen willen trouwen, zoals ook niet alle mannen een vrouw willen.''

,,Wilde jij geen man?'' Jasper keek haar met ernstige blauwe ogen vragend aan.

,,Er was niemand die ik aardig genoeg vond.''

Jasper liet dit even bezinken. Dan vroeg hij: ,,Vonden ze jou

ook niet aardig? Dan wisten ze zeker niet dat je zulke pannekoeken kunt bakken."
Francine besloot de zaak humoristisch op te vatten. ,,Als ik een man zou willen, kan ik dus het beste pannekoeken op de markt gaan bakken."
Jasper keek van de een naar de ander, had het gevoel dat ze hem een beetje uitlachten. ,,Nou, maar Stefanie zei toch ook, ze zei... 'jouw vader had me wel eens mogen vragen of ik kon koken. Voor dit gezin zou een mens eigenlijk een soort examen moeten afleggen, jullie zijn zo peuterig met eten'... of zoiets zei ze."
Francine lachte naar hem. ,,Stefanie heeft wel eens de neiging in zichzelf te mopperen. Ze heeft er natuurlijk niet op gerekend dat een kleine jongen meeluisterde. Ik heb trouwens een brief van haar gekregen. Het lijkt me dat ze daar nog wel een tijdje blijft. Ze zit nu met haar vader. Hij heeft de eerste tijd nog veel verzorging nodig, Stefanie is tenslotte verpleegkundige. Ik merk aan haar brief dat ze het helemaal niet erg vindt dit werk weer eens te doen."
,,Denk je dat ze daar blijft?" Thomas had dit niet willen vragen waar de kinderen bij waren, maar angst om haar te verliezen bracht hem ertoe.
,,Ik denk dat ze nu alle tijd neemt de zaken op een rijtje te zetten. Verder geloof ik niet dat het haar bedoeling is jullie in de steek te laten. Maar ik kan je ook niet garanderen dat ze uiteindelijk tot de ontdekking komt dat het huwelijk met jou haar voor de rest van haar leven gelukkig zal maken. Je zult moeten afwachten. Je moet haar deze vrijheid geven, Thomas."
,,Misschien zou ik haar moeten gaan halen."
,,Dat lijkt me niet verstandig. Dwingen dient nergens toe. Trouwens, Stefanie laat zich niet dwingen."
,,Dwingen! Verdomme, weet je wel wat je zegt? We zijn getrouwd. Ze verwacht mijn kind. Heb ik niet genoeg ellende gehad?"
Francine keek hem koel aan. ,,Dat staat hier helemaal los van. Zolang jij Stefanie niet gaat zien als een zelfstandig wezen, zolang je nog steeds een vervanging zoekt voor Hetty, ben je op de verkeerde weg."
,,Zullen we mamma's foto dan maar weg doen?"
In de stilte die volgde, keken ze allen naar Nicole. Ook Franci-

ne begreep wat het dit meisje moest kosten deze opmerking te maken.
,,Als je het echt kunt, moet je het zeker doen. Je zou een kleiner portret ergens kunnen neerzetten. Je hebt vast wel een foto die minder opvallend is. Laten we nu in de stad iets gaan drinken." Francine voelde dat de stemming toch enigszins gedrukt was en wilde daar iets aan doen.
Maar ze was ook eerlijk van plan voor haar vriendin op te komen en niets kon haar ervan overtuigen dat ze zich beter buiten de situatie kon houden. Na de geschiedenis met Stefanies vader stond Francine sceptisch tegenover alle mannen. Dus ook ten opzichte van Thomas, die ze ervan verdacht dat hij Stefanie met handen en voeten aan zijn gezin wilde binden.
Daarbij vond ze het een absurde gedachte dat Stefanie, die nog geen dertig jaar was, een paar tieners zou moeten opvoeden.
De kinderen waren ongewoon stil, zelfs toen ze op een terras aan een van de grachten ijs gingen eten.
,,Hé, wie zie ik daar? Jij bent toch Tom van Schagen? Is dat je vrouw? Stel me eens voor." De harde stem van de blonde vrouw schalde over de gracht en Thomas keek gegeneerd om zich heen.
,,Je kent mij toch nog wel? Of ben ik zo veranderd? En Jasper, lekkere jongen, weet jij nog wie ik ben?"
De 'lekkere jongen' staarde de vrouw vijandig aan, scheen absoluut niet van plan ook maar iets van herkenning te tonen. Thomas zag zich genoodzaakt haar wat te drinken aan te bieden. Toen hij haar voorstelde als 'Andrea', herinnerde Francine zich de naam. Zij was immers degene die vóór Stefanie bij Thomas in huis was geweest. De vrouw die hij eigenlijk alleen had aangenomen omdat ze even blond was als zijn vrouw. Wat handelden sommige mensen toch vreemd. Dat hij niet onmiddellijk had gezien dat dit geen type was voor zijn gezin. Ze bestudeerde de jonge vrouw die was gaan zitten en die nu probeerde Jaspers aandacht te trekken.
,,Hoe is het met jou? Wij waren toch vriendjes?"
Het kind staarde haar met woeste blikken aan. ,,Dat is helemaal niet waar."
,,Wat doe jij op dit moment, Andrea?" probeerde Thomas haar aandacht af te leiden.
,,Op dit moment zit ik dus hier. Verder heb ik een baan voor

vijftien uur en woon samen met een aardige man. Drinken doe ik niet meer... dat wilde je toch vragen, nietwaar?"
,,Nou, ik..."
,,Ach man, jij was altijd zo ontsteld over iets dat buiten je keurige paadje viel. Als ik nog denk aan dat huis vol herinneringen aan je vrouw. Zelfs haar jas hing aan de kapstok. In zo'n huis te moeten wonen, zou alleen al een reden zijn om dronken te worden." Ze streek zich door het lange blonde haar en stak een sigaret op. ,,Een vreselijk huis," zei ze tot niemand in het bijzonder.
,,We gaan verhuizen," reageerde Nicole.
,,Werkelijk? Dat zou tijd worden. Thomas, hoe regel je nu alles? Heb je een goede hulp? Als je moeilijk zit, wil ik je best komen helpen. Het kantoorwerk dat ik nu doe, boeit me niet bepaald."
,,Ik ben getrouwd," zei Thomas plompverloren.
,,Dat meen je niet. Wie kreeg je zo gek? Ach, dat is natuurlijk de reden dat je gaat verhuizen. Nu, ik hoop dat je de schimmen uit het verleden niet met je meeneemt. Jongens, ik ga weer eens. Toch leuk jullie gezien te hebben. En nogmaals, als je moeilijk zit... Is zij je vrouw? Niet? Waar is ze dan?"
Andrea keek om zich heen alsof ze verwachtte dat Thomas' vrouw zich ergens verstopt had. Ze lette niet op de geamuseerde blikken van de mensen om hen heen.
Thomas haalde diep adem. ,,Daar heb jij geen ene moer mee te maken." Waarna hij opstond, wat geld op tafel smeet en wegliep zonder naar de anderen te kijken.
,,Nou moe, hij hoeft niet zo kwaad te worden. Ik heb een gevoelige snaar geraakt, denk ik. Jongens, tot ziens. Je vader heeft mijn telefoonnummer nog wel."
,,Hebt u haar telefoonnummer?" was Nicoles eerste vraag toen ze hun vader een eind verder terugvonden, staand op een brug, turend naar het donkere water van de gracht.
,,Dat is wel mogelijk," bromde hij.
,,U zult haar toch nooit meer in huis halen?"
,,Dat hoop ik niet. Dan moet de nood wel hoog stijgen."
,,Ze praat zo verschrikkelijk veel," zei Jasper klaaglijk.
,,Daarachter verbergt ze haar onzekerheid," zei Francine deskundig.
Ze liep met hen naar huis, hielp hen nog een en ander in te pak-

ken. Er werd niets meer over Andrea gezegd. Nicole was naar haar kamer verdwenen. De ruimte was nu leeg op haar bed na. Stel je eens voor dat haar vader Andrea weer in huis nam, omdat Stefanie niet terugkwam. Dat was te erg om over na te denken. Ze keek naar de grote foto van haar moeder, maar het leek wel of deze haar steeds minder zei. Zíj kon hen toch ook niet meer helpen, dacht ze. Maar als mamma zou weten dat iemand als Andrea... Waarschijnlijk zou zij Stefanie ook leuker vinden. Deze gedachte had Nicole nog nooit bij zichzelf toegelaten en ze beet op haar lip. Als Stefanie in Frankrijk bleef, helemaal zonder hulp konden ze niet, volgens pappa.
Het ging niet alleen om het huis schoonhouden. Maar Stefanie was nu pappa's vrouw. Ze zou natuurlijk terugkomen. Als ze heel eerlijk was: als Stefanie in huis verbleef was het wel een stuk gezelliger.
Ze ging wat dichter naar haar moeders portret. Zonder die foto kostte het haar soms moeite Hetty voor de geest te halen. Als ze nog maar één keer met haar kon praten. Haar kon vragen wat zij nu van alles vond.
Ze keek door het raam naar beneden in de kleine tuin. Van hieruit kon ze het gemarkeerde grafje van Bartje zien. Stefanie had er nooit meer met haar over gepraat. Ze had haar ook geen enkel verwijt gemaakt. Dat was best wel sportief van haar. Ineens kwam er een gedachte bij haar op. Ze zou Stefanie een andere poes kunnen geven. Ze zou toch eigenlijk wel graag willen dat ze spoedig terugkwam. Niet als haar moeder natuurlijk, dat werd ze nooit. Ze zou haar eigen mamma nooit vergeten. Zij bleef het belangrijkste, maar ze dacht niet dat Stefanie daar bezwaar tegen zou hebben.
Beneden vond ze haar vader bezig met het inpakken van een aantal boeken. Francine was blijkbaar weggegaan. Jasper bladerde lusteloos in een stripboek.
,,Het is toch niet leuk om te verhuizen nu Stefanie er niet bij is." Hij keek Nicole uitdagend aan. Instinctief wist Nicole dat hij ruzie zocht, omdat hij boos en onzeker was door de ontmoeting met Andrea.
,,Ze komt heus wel terug," zei ze met een blik naar haar vader.
,,Dat weet ik nou juist niet zeker. Als ik erover nadenk, heeft ze misschien niet het gevoel gekregen dat we van haar hielden," zei Thomas ongelukkig.

,,Maar u toch wel, pappa?"
,,Natuurlijk. Maar nu begin ik me af te vragen of ik het haar wel duidelijk genoeg heb laten merken. Het blijft een feit dat ik altijd rekening met jullie moest houden. Als kinderen een nieuwe partner niet accepteren, is het nu eenmaal erg moeilijk. Het is geen verwijt. Ik had me gewoon minder van jullie moeten aantrekken."
,,Is Stefanie een partner?" vroeg Jasper geïnteresseerd.
Thomas lachte even, begon uit te leggen wat hij bedoelde.
Voor Nicole was dit echter niet nodig.
Evenals bij de dood van haar moeder het geval was geweest, had ze ook nu het gevoel dat alles háár schuld was. Pappa wilde dat natuurlijk niet rechtstreeks zeggen. Zij was de oorzaak dat Stefanie weg was en misschien wel niet terugkwam. Zij zou zelf iets moeten doen.
,,Zou u evenveel verdriet hebben als toen bij mamma, als u Stefanie nooit meer zag?" vroeg ze.
,,Je kunt dat niet vergelijken. Stefanie ken ik nog niet zo lang. Maar toch, ze is mij al heel vertrouwd. En als je weet dat je iemand nooit meer zult zien, als je weet dat de persoon waar je van houdt voorgoed onbereikbaar is... dan maakt het eigenlijk niet meer uit of diegene leeft of dood is."
Hij dacht eraan dat Stefanie hem hetzelfde had gezegd toen ze elkaar pas kenden en hoe verontwaardigd hij daarover geweest was.
Nicole keek hoe haar vader met langzame bewegingen de doos met boeken dichtbond. Het was te zien dat hij er met zijn gedachten niet bij was. Ineens dacht ze, als Stefanie niet meer terugkomt, zijn we pappa ook kwijt.
,,Heb je haar geschreven?" vroeg ze toen ze de enveloppe zag liggen.
Hij knikte. ,,Wil je hem even posten?"
Nicole had haar jack al aan. Eenmaal buiten schreef ze het adres zorgvuldig over en liep dan snel naar de brievenbus. Nog maar enkele maanden geleden zou haar vader haar het posten van een brief aan Stefanie waarschijnlijk niet hebben toevertrouwd. Zou ze werkelijk in staat zijn geweest een brief achter te houden? Ze was toch bepaald niet altijd aardig geweest, maar ze ging er nu iets aan doen. Zij was de aangewezen persoon daarvoor.

Nicole had het in enkele dagen voor elkaar. Ze ging naar een bepaald loket bij de spoorwegen om te vragen hoe ze precies in die plaats moest komen en schreef alles zorgvuldig op. Er bleek geen station te zijn. Ze moest een plaats eerder uitstappen en dan waarschijnlijk een bus nemen.
Ze had ook gevraagd hoeveel het precies kostte en ze was wel geschrokken van het bedrag. Ze besloot geld van haar zilvervloot op te nemen en ze had ook nog wat thuis. Dat ze eigenlijk spaarde voor een c.d.-speler daar dacht ze op dat moment niet aan. Ze pakte een kleine koffer en schoof die de laatste nacht onder haar bed. Ze aarzelde of ze haar vader zou inlichten, direct nadat ze weg was. Bijvoorbeeld door een brief achter te laten. Maar als ze dat deed, zou hij misschien op bepaalde stations naar haar laten uitkijken. Mogelijk liet hij haar zelfs terughalen. Maar deed ze het niet, dan zou hij vreselijk ongerust zijn en hij piekerde toch al zo over Stefanie.
Nicole besefte niet dat dergelijke gedachten bewezen dat ze bezig was volwassen te worden. Dat het kind dat alleen aan zichzelf dacht, langzaam bezig was te verdwijnen. Een jaar geleden zou ze waarschijnlijk niet over eventuele zorgen van haar vader hebben ingezeten. Uiteindelijk besloot ze de brief te schrijven en deze in Parijs, waar ze toch moest overstappen, op de bus te doen. Als de brief dan uiteindelijk arriveerde, was zij al op de plaats van bestemming.

Het was aan één kant maar goed dat Thomas die dag direct na schooltijd een vergadering had. Hij belde naar huis en zei tegen Jasper dat hij laat zou thuiskomen. Hij verwachtte dat Nicole naar Cissy zou gaan en was blij te horen dat zijn zoon bij een vriendje zou blijven eten. De gêne voor dat soort dingen was allang voorbij. Hij kon zich niet veroorloven dergelijke dingen te verbieden, zeker niet nu hij weer alleen voor alles moest zorgen.
Toen hij thuiskwam, lag Jasper al in bed en sliep vast. Nicoles kamer ging hij niet binnen, omdat hij haar niet wakker wilde maken. Zelf sliep hij onrustig. Het was de op één na laatste nacht in dit hem zo vertrouwde huis. Hij voelde zich eenzamer dan ooit. Waarom had Stefanie hem in de steek gelaten juist nu hij op een keerpunt in zijn leven was gekomen? Het was immers in hoofdzaak voor haar dat hij ging verhuizen. Nee, dat was niet

helemaal eerlijk. Ook hijzelf wilde uiteindelijk loskomen van zijn verleden en in dit huis zou dat nooit helemaal lukken. Waarschijnlijk kwam het door de aanstaande verhuizing dat hij de laatste dagen weer zo veel met Hetty bezig was. Misschien was het wel goed dat hij in zijn eentje afscheid van deze omgeving nam. Tenslotte had Stefanie geen enkele binding met dit huis. Als je erover nadacht, had zij zich hier nooit prettig gevoeld. Als Nicole zich nu maar een beetje wilde aanpassen, dan moest het toch lukken om helemaal opnieuw te beginnen. Weliswaar droeg hij een litteken in zijn hart, maar hij hield van Stefanie en zij was in staat gebleken hem weer in een toekomst te doen geloven. Anders, heel anders dan het met Hetty geweest zou zijn. Maar niet minder... zeker niet minder!
Pas de volgende morgen miste hij Nicole bij het ontbijt. De gewoonte samen te ontbijten, hadden ze altijd vastgehouden.
,,Ze was er gisterenavond ook niet," zei Jasper, zich intussen rijkelijk van de hagelslag bedienend.
,,Is ze bij Cissy? Heeft ze gebeld?"
,,Ze heeft niet gebeld. Ik heb televisie gekeken."
,,Dan ga ik nu eerst Cissy's moeder bellen."
,,Nicole? Welnee, zij was gisteren niet op school, vertelde Cissy. Ik meende jou te bellen hoe het nu met haar ging. Ze had de school gebeld met de mededeling dat ze ziek was."
,,Maar ik weet nergens van," schrok Thomas.
,,Wat vreemd. Zal ik naar je toekomen?"
,,Nee, nee, laat maar. Ik informeer wel verder." Hij was heel erg ongerust maar dat hoefde Carla niet te weten. Voor de zoveelste keer bleek dat in dit gezin iemand nodig was die thuis was als de kinderen uit school kwamen. Als hij geen vergadering had moeten bijwonen, had hij Nicole gisteren al gemist. Vreemd dat de school onmiddellijk had aangenomen dat Nicole de waarheid sprak toen ze zei dat ze ziek was. Was het tegenwoordig gebruikelijk dat leerlingen daar zelf over opbelden? Hij begon zich op te winden. Hij zou haar klasseleraar bellen.
,,Naar ik heb gehoord was ze plotseling erg naar geworden. U was al weg," vertelde ze.
,,Jullie controleren niets?"
,,Neem me niet kwalijk, meneer Van Schagen, dat doen we juist wél. U weet hoeveel er wordt gespijbeld. Maar in uw gezin móeten de kinderen immers alles zelf regelen."

Thomas bond in. De man had immers gelijk. Het was vaak gemakkelijk geweest dat men bepaalde regels voor Nicole en Jasper wat soepeler hanteerde.
,,Als ik het u mag zeggen – ik heb u er al vaker op gewezen – uw dochter lijkt me niet echt gelukkig."
,,Dacht u dat ik op dit moment iets heb aan deze mededeling?"
,,Neem me niet kwalijk, het kwam zomaar bij me op. Kan ik iets voor u doen? Klasgenoten bellen misschien? Mogelijk is er iemand die iets meer weet."
,,Als u dat doen wilt." Thomas zag hier geen enkel heil in. Als Nicole iets niet wilde zeggen, hield ze het voor zich. Ze kon zich helemaal terugtrekken als in een glazen huis.
,,Misschien is ze vast naar het nieuwe huis gegaan," bedacht Jasper.
Aangezien Thomas niets beters wist te verzinnen, reden ze erheen. Ze liepen door de lege kamers. Het huis klonk hol en leeg. De volgende dag zouden de stoffeerders komen. Thomas had enkele dagen vrij.
De laatste dag in het huis aan de gracht verliep als in een nachtmerrie.
Natuurlijk belde hij de politie, maar deze beweerde dat er dagelijks meisjes van veertien jaar verdwenen. Ze kwamen in negenennegentig procent van de gevallen weer opdagen. Dezelfde mededeling die hij indertijd had gekregen toen Jasper een middag zoek was. Hij moest maar rustig afwachten. Nu, dat 'rustig' konden ze er wel aflaten.
Hij ging ook naar Francine, maar zij had evenmin een idee waar Nicole kon zijn. Ze stond trouwens op het punt naar haar werk te gaan. Ze beweerde nog dat meisjes op die leeftijd soms vreemde dingen uithaalden, wat hem niet bepaald geruststelde. Er zat inderdaad weinig anders op dan af te wachten.
Met een smoesje belde hij zijn ouders, maar deze vroegen vol belangstelling naar de kinderen, dus daar was zijn dochter al evenmin. Carla belde die dag nog enkele malen op. De laatste keer met de mededeling dat Nicole op het station was gezien. Thomas trok onmiddellijk zijn jas aan, doorkruiste wat later het stationsgebouw en alle perrons, vroeg aan de lokketten, dwaalde door het overdekte winkelcentrum en werd niets wijzer.
's Avonds dacht hij erover Stefanie te bellen, misschien had zij

een idee. Hij besloot hiermee tot de volgende dag te wachten. Hij wilde niet dat ze wakker lag.
De volgende morgen kwam de post bijna gelijktijdig met de verhuisauto.
Het waren slechts enkele regels.

Ik ga naar Stefanie. Als je deze brief krijgt, ben ik er al. Wil je haar niet eerder opbellen dan woensdag? Nicole.

Aan de ene kant was Thomas enorm opgelucht, maar hij maakte zich ook zorgen. Ten eerste, ze was nog bijna een kind, en dan zo'n reis en ook nog in Parijs overstappen. Daarbij, wat wilde ze ineens van Stefanie? Hij kon niet helpen dat hij zich een beetje ongerust maakte over wat ze zou gaan zeggen. Nicole was zo onvoorspelbaar, zeker waar het Stefanie betrof.
Toen hij Jasper vertelde waar zijn zuster was, reageerde deze hoogst verontwaardigd. ,,Dat had ik ook wel gewild. Waarom nam ze mij niet mee?"
Maar hij was zijn boosheid snel vergeten. Er was nu van alles te doen en dat had hij toch ook niet willen missen. Hij drentelde door de nu lege kamers, dronk samen met de verhuizers voor het eerst in zijn leven koffie, vond het absoluut niet lekker, maar dronk manmoedig de hele mok leeg.
Ook Thomas dwaalde door het huis, wat geen thuis meer was nu alles was weggehaald. Hij stond enige tijd in de erker. Hij probeerde Hetty voor de geest te halen, maar mét haar tekentafel leek ook zij te zijn verdwenen.
Toen hij voor het laatst de deur sloot, zat Jasper al vóór in de verhuiswagen. Zijn zoon keek niet om naar het huis. Diens geest was al in de andere woning. Misschien was dat uiteindelijk de beste manier, dacht Thomas.
Niet achterom kijken, maar recht vooruit.

HOOFDSTUK 11

Carl Berkhof was na drie weken weer thuis uit het ziekenhuis. Hij moest nog wel regelmatig terug voor revalidatie. Ook thuis

moest hij veel oefenen, wat hij in het begin pertinent weigerde, omdat hij zich niet als een kind liet behandelen door zijn eigen dochter, zoals hij woedend zei.
Stefanie wist dat zijn voortdurend wisselende stemmingen voor een deel een gevolg waren van zijn ziekte. De ene dag raasde en tierde hij, schold hij Gina uit en konden ze geen van beiden iets goed doen. De volgende dag was hij stil, liet met zich doen en leek een zielige oude man.
Toch spaarden ze hem niet. In de eerste week liet Gina zich zijn buien welgevallen, tot hij bij het bezoek van een jonge maatschappelijk werkster weer al zijn charmes uit de kast haalde. Juist díe dag was het heel erg geweest met zijn woede en gesnauw.
Toen de jonge vrouw weg was, ging Gina recht tegenover hem zitten, keek hem aan tot hij geïrriteerd snauwde: ,,Wat is er? Staar niet zo of je mij nog nooit hebt gezien.'' Zijn spreken was weer helemaal in orde gekomen, een enkele keer moest hij nog zoeken naar een bepaald woord. Zijn arm kon hij goed gebruiken, behalve voor de fijnere dingen zoals een pen vasthouden.
,,Ik zou alweer een vrouw in mijn armen kunnen nemen,'' had hij zojuist beweerd.
,,Carl, ik denk erover een tehuis voor je te zoeken. Dit is míjn huis, we zijn niet getrouwd. Ik heb er genoeg van als een slavin te worden behandeld.''
,,Dus, nu ik hulpeloos ben geworden, wil je mij aan de kant zetten.''
,,Niet omdat je hulpeloos bent, maar vanwege je gedrag. Ik pik dat niet langer. Ik dacht dat al dat getier en gemopper met je ziekte in verband stond, maar zojuist is mij gebleken dat jij je negatieve emoties wel degelijk kunt beheersen. Ik neem het niet langer, Carl. En je dochter ook niet. Ze is hier om uit te rusten, maar ze werkt nu als verpleegster, zowel overdag als 's nachts als jij ons om beurten uit bed belt. Je hebt een stukje theater opgevoerd. Het moet nu afgelopen zijn. Stefanie moet om haar kindje denken.''
Toen er geen antwoord kwam en ze de eens zo sterke man zag huilen, keerde ze zich snel om. Als ze nu zwakheid toonde, was ze verloren. Maar ook bij haar stonden de tranen in de ogen toen ze zich bij Stefanie op het terras voegde.
,,Ga jij vanmiddag nu eens een eind wandelen. Dat doe je zo

graag en het wordt nu weer zo mooi buiten," zei ze hartelijk. Stefanie besloot die raad op te volgen, want ook haar stemming was er niet op verbeterd de laatste weken.
,,Zit jij daar achter dat Gina zo tegen me doet?" vroeg haar vader toen ze op het punt stond weg te gaan. ,,Jij moet toch het beste weten dat ik nu hulpeloos ben en invalide."
,,Ik zit nergens achter. Als Gina niet al te vriendelijk is, kan ik dat overigens best begrijpen. Overigens, u hoeft niet hulpeloos te blijven, u bent er nog betrekkelijk goed afgekomen. Er is veel kans dat u na verloop van tijd weer kunt lopen, zij het met een stok."
,,Ik geloof dat ik Gina zal voorstellen te trouwen. Ze heeft dit al jaren gewild."
Stefanie staarde haar vader stomverbaasd aan. ,,Waarom hebt u het dan in al die jaren tegengehouden? Waarom wilde u haar nooit de zekerheid van een huwelijk geven? Ah... Het is mij volkomen duidelijk waarom je nu ineens van gedachten bent veranderd."
Boos liep ze bij hem weg. Ze kende werkelijk niemand die zich zo egoïstisch gedroeg. Nu hij bang was Gina te verliezen, nu hij haar nodig had, wilde hij trouwen. O, ze hoopte dat Gina daar niet in zou trappen.
Ze had het plan gehad om uren te gaan lopen maar ontdekte na een halfuur dat ze toch snel moe werd. Ze ging op een plaatsje in de zon zitten, haar rug tegen een helling. Zo had ze een mooi uitzicht op de omgeving. Toch zat ze niet meer zo gemakkelijk. Het begon nu op te schieten, nog ongeveer zes weken voor ze was uitgerekend. Voor die tijd wilde ze toch bij Thomas terug zijn.
Toch vroeg ze zich vaak af of ze niet te impulsief waren getrouwd. Misschien had de gedachte ook meegespeeld dat haar vader zich nooit had willen binden en dat niemand daar echt gelukkiger door was geworden. Zij wilde dat haar kind een vader had die er was voor het gezin. Thomas zette alles opzij voor zijn kinderen, dat was haar de afgelopen twee jaar wel duidelijk geworden. Dat was ook een van de eigenschappen die haar in hem hadden aangetrokken. Zijn aandacht voor Nicole en Jasper. Zoiets had zijzelf thuis nooit meegemaakt. Ze was dan wel zeventien jaar geweest toen haar moeder overleed, maar ze had even goed verdriet gehad. Steun van haar vader had ze echter

nooit gekregen. Hij was binnen enkele weken bij Gina ingetrokken. Ze doezelde een beetje weg en dacht aan haar jeugd met een altijd ziekelijke moeder en een immer afwezige vader. Ze wilde het heel anders, dat was wel zeker. Ze legde een hand op haar buik, waarop haar kindje reageerde. Toen ze haar ogen opende, zag ze in de verte iemand aankomen. Misschien Gina, zij wist waar ze haar kon vinden. Maar Gina zou haar man niet in de steek laten. Het zou ook Jerôme kunnen zijn waarmee ze soms gesprekken had over de zin van het leven. Hem mocht ze bijzonder graag. De persoon had toch iets bekends. Even de ogen sluiten en ze zou het bij de volgende keer kijken zeker weten, dacht ze kinderlijk. Even daarna wist ze het inderdaad. Maar wat haar ogen zagen, kon haar verstand niet geloven. Droomde ze? Had ze misschien last van de zon? Het figuurtje kwam steeds dichterbij, leek langzamer te gaan lopen. Stefanie krabbelde moeizaam overeind en liep de weg op. Dan stonden ze tegenover elkaar. Het heel jonge meisje en de vrouw die hoogzwanger was. Geen van beiden maakten ze aanstalten om elkaar aan te raken.
,,Dat is nog eens een verrassing. Is je vader er ook?'' vroeg Stefanie eindelijk.
,,Nee. Ik kwam hierheen zonder dat pappa er iets van wist.''
,,O Nicole, hij zal vreselijk ongerust zijn.''
,,Ik heb hem geschreven.'' Nicole keek om zich heen naar het glooiende landschap voor hen en achter hen de bossen. ,,Dus dit is Frankrijk. Ik dacht dat het er heel anders uit zou zien. Veel... Franser.''
,,Dit is maar een klein stukje van dit grote land. Trouwens, zodra je in het dorp komt, zul je ontdekken hoe Frans het hier is. Knap van je dat je mij gevonden hebt.''
,,Die mevrouw ginds zei waar je was, het was niet moeilijk. Die vrouw is toch niet je moeder?''
,,Nee. Maar de man in de rolstoel is wél mijn vader.''
Langzaam liepen ze terug. Stefanie keek af en toe vol verwondering naar het meisje in de vale spijkerbroek en de wijde sweater. Het blonde haar was nu kort geknipt. Ze leek langer geworden, leek een beetje slungelig.
,,Weet je waarom ik hier ben? Ik dacht, het is het beste als ík haar ga vragen of ze terugkomt. Pappa is bang dat je hier blijft wonen. Francine dacht het ook al.'' Daarop vertelde ze wat er

de afgelopen weken zoal gepasseerd was, vergat de ontmoeting met Andrea niet. ,,Zij moet in elk geval nooit meer bij ons komen,'' zei het meisje beslist.
,,Dus je kiest van twee kwaden het beste?'' glimlachte Stefanie.
,,Och, het is niet gezellig met zijn drieën. Ik weet heus wel dat pappa steeds aan jou denkt. Het hele huis is nu leeg.''
,,Je hebt gelijk. Dus ze verhuizen nu zonder jou. De laatste dagen in het oude huis heb je laten schieten om hierheen te komen. Heb je daar wel aan gedacht? Je had immers ook enkele dagen kunnen wachten.''
,,Dat wilde ik niet. Ik vond dit ineens het allerbelangrijkste.'' Het klonk alsof ze er zelf verwonderd over was.
,,Toch vind ik dat we je vader moeten bellen.''
,,De telefoon is nog niet aangesloten. Ik heb hem in de brief gevraagd zelf te bellen. Dat zal hij heus wel doen.'' Het klonk tamelijk gedecideerd en Stefanie glimlachte in zichzelf. Nicole wist soms heel goed wat ze wilde. Toch had ze nog lange tijd iemand nodig die haar begeleidde naar de volwassenheid. Stefanie begon te vermoeden dat zij degene zou zijn die die taak op zich moest nemen.
Na nog een poosje op een bank te hebben gezeten, liepen ze de weg naar huis terug. Stefanie begon over het komende kindje waar nu alles klaar voor was. Toen ze merkte dat Nicole een en ander een beetje gênant vond, zweeg ze echter. Het was beter in geen enkel opzicht iets te forceren, maar ze had het gevoel op eieren te lopen.
Bij het huis zag ze haar vader in de tuin, samen met Jerôme die opstond toen hij hen zag aankomen. Naar Franse gewoonte kuste hij haar op beide wangen, begroette haar verder met een stroom van woorden. Nicole stond een en ander wantrouwend te bekijken en bleef bij hen in de buurt. Het amuseerde Stefanie. Zag Nicole enig gevaar in Jerôme? Dacht ze misschien dat hij degene was die haar kon tegenhouden als ze terug wilde keren naar Nederland? Nog niet zo lang geleden zou het meisje het trouwens een prima oplossing hebben gevonden als ze voorgoed in Frankrijk was gebleven. Maar het zou wel enige tijd duren voor ze erachter was wat Nicole precies had bewogen haar achterna te komen. Was het om haar vader of om haarzelf? Ze vroeg Jerôme of hij een tekening van Nicole wilde maken. Het leek haar een leuk cadeautje voor Thomas.

Later volgde ze Gina naar de keuken. Het was haar opgevallen dat deze erg stil was. Tegen haar gewoonte in had ze zich volledig afzijdig gehouden.
,,Is er iets?"
,,Hij vroeg me met hem te trouwen. Wat zou ik daar enkele jaren geleden blij mee zijn geweest." Gina's ogen stonden ineens vol tranen.
,,Wat heb je geantwoord?"
Gina schudde haar hoofd. ,,Mijn domme hart zei onmiddellijk ja. Maar toch was ik zo verstandig te weigeren. Het is wel goed voor hem dat hij in zekere zin afhankelijk van me is. Hij vraagt me dat alleen omdat hij bang is dat ik hem in de steek zal laten, denk je ook niet?"
Stefanie besloot dat het geen zin had Gina de zaken mooier voor te stellen dan ze waren. Zij beiden kenden Carl Berkhof.
,,Ik hoop dat hij er niet meer op terugkomt," zei Gina en op Stefanies opmerkzame blik. ,,Het is misschien niet helemaal eerlijk hem opzettelijk in onzekerheid te laten. Ik weet niet wat ik hem de volgende keer zal antwoorden. Kijk me niet zo aan... Ik weet heus wel wat hij mij allemaal heeft laten doormaken. Toch ben ik altijd van hem blijven houden."
,,O Gina, Gina. Wacht in elk geval tot hij een stuk beter is. Laat hem een tijdje niet zo zeker van je zijn."
De kans dat haar vader niet meer op zijn vraag zou terugkomen, zat er wel in, dacht Stefanie. Althans als zijn gezondheid vooruit bleef gaan.
Gina keek naar het terras waar Nicole in de schommelstoel zat. ,,Dat meisje ziet er nogal zorgelijk uit voor haar leeftijd."
,,Je weet dat zij Thomas' dochter is. Ze is van huis weggelopen om mij te halen. Eerlijk gezegd voel ik me wel een beetje gevleid, vooral omdat het juist Nicole is die zoiets doet. Ik weet alleen niet wat ik nu met haar aan moet. Ik wilde hier eigenlijk nog enige tijd blijven en Nicole moet naar school."
,,Ach, die school," bromde Nicole of het er helemaal niet toe deed.
,,Ik ga heus wel over. Dan neem ik maar wat werk mee naar huis. Ik mag toch altijd een beetje meer dan iemand anders."
Stefanie keek haar aan. ,,Vanwege de dood van je moeder, bedoel je? Dat is niet helemaal eerlijk, Nicole. Ik kan niet toestaan..."

,,Jij hoeft me niets toe te staan, je bent mijn moeder niet,'' viel Nicole haar prompt in de rede. Stefanie deed er het zwijgen toe. Dat Nicole hier naar toe was gereisd, veranderde niets aan het feit dat ze in de puberteit was en daardoor aan voortdurend wisselende stemmingen onderhevig.
Die avond belde Thomas. ,,Stefanie, hoe is het met jou en ons kind?'' Met die vraag begon hij altijd zijn wekelijkse gesprek, maar nu luisterde hij nauwelijks naar het antwoord, vroeg onmiddellijk naar Nicole.
,,Ja, ze is hier.''
,,Hoe lang al? Sinds vanmorgen? Waarom heb je mij niet direct gebeld? Ik heb in angst gezeten.''
Stefanie vertelde hem hoe het was gegaan. Dat Nicole haar had verteld van de brief en ook dat er nog geen telefoonaansluiting was in het nieuwe huis.
,,Daarin heeft ze gelijk. Dat duurt nog enkele dagen. Ik bel je vanuit een cel. Steffie, dit nieuwe huis is volkomen waardeloos zonder jou. Jasper en ik voelen ons hier verloren en doodongelukkig. Wil je alsjeblieft naar huis komen?''
Stefanie beloofde hem uiteindelijk dat ze na enkele dagen met Nicole zou vertrekken. Ze vertelde het meisje later wat ze had besloten en ook dat haar vader ongerust was geweest.
,,Hij is altijd ongerust. Zelfs als wij maar tien minuten later zijn dan gewoonlijk.''
,,Als je dat wist, is het helemaal geen stijl dat je hem twee dagen in angst hebt laten zitten.''
,,Ik dacht niet dat hij zich nu nog zo druk zou maken. Niet meer nu hij jou heeft en straks een kindje van jullie tweeën.'' Nicole zag er ineens weer wat onzeker uit.
,,Nicole, je vader blijft evenveel van jou en Jasper houden. Jullie zijn immers het enige wat hij nog van Hetty heeft. Meubels, tekeningen, portretten, het zegt allemaal zo weinig. Maar jullie zijn echt van haar. Jij lijkt zo op je moeder, daardoor is het onmogelijk dat hij haar ooit vergeet.''
Nicole scheen hier even over te moeten nadenken. ,,Vind jij dat vervelend?'' vroeg ze dan.
,,Niet als ze een plaats heeft in jullie hart. Wel als ze nog steeds aanwezig is in het huis waar we nu gaan wonen.''
Ze hoopte dat Nicole begreep, wat ze bedoelde. Het meisje was zeker niet dom.

De volgende dag belde Nicole zelf haar vader op waar Stefanie bij was. Zo hoorde ze haar vertellen over de mooie omgeving, over de aardige mensen, en dat ze stokbrood en croissants at wat veel lekkerder was dan in Nederland. Op het laatst deelde ze mee dat Stefanie een vriend had die haar zoende.
Stefanie vloog verontwaardigd overeind, maar het kwaad was al geschied.
,,Waarom deed je dat?" vroeg ze nijdig, toen Nicole de hoorn had neergelegd. ,,Wil je dat je vader en ik ruzie krijgen zodra we elkaar terugzien?"
,,Hij wist niets van die vent en je zei dat pappa hem kende," beschuldigde Nicole haar fel.
,,Hij kent hem. Je zei hem immers niet hoe hij heette." Boos ging ze de deur uit voor haar gebruikelijke wandeling.
Nicole liep met haar mee, maar Stefanie zei niet één woord. Ze wilde niet kinderachtig zijn, maar ze was nu echt kwaad. Thomas had al eerder problemen gemaakt om Jerôme.
Nicole begon voor haar uit te lopen en ze liet haar gaan. Wat mij betreft verdwaal je, dacht ze wraakzuchtig. Langzaam liep ze verder langs het haar bekende pad, zich bezorgd afvragend hoe het nu verder moest. Nicole kwam haar dan wel halen, maar blijkbaar wilde ze haar nog steeds op allerlei manieren dwars zitten. Vond ze het leuk als zij en haar vader ruzie kregen?
Stefanie had nu het gevoel dat ze het voortdurende geharrewar niet meer aan zou kunnen. Ze wilde ook niet meer steeds op haar hoede zijn, bang dat ze misschien iets verkeerds zei. Ze zou nu eindelijk volkomen zichzelf willen zijn.
Eensklaps bleef ze staan. Het leek wel of ze hoorde roepen. Het was Nicoles stem. Was ze gevallen? Ze vergat onmiddellijk alle wraakzuchtige gedachten en begon een zijweg in te lopen. Nicole was niet op het pad gebleven naar het geluid te horen. Ze begon nu zelf ook te roepen. Het antwoord kwam direct, maar klonk zeer angstig. Stefanie merkte dat hard lopen haar niet bepaald gemakkelijk afging. Maar wat kon er gebeuren in dit bos? Er zaten geen roofdieren. Opnieuw riep ze.
,,Stefanie, kom gauw!" Het klonk werkelijk heel benauwd. Weer een zijlaantje... dan bleef ze stokstijf staan, vlak voor een oppervlakte zo groot als een voetbalveld. Nicole was slechts enkele tientallen meters bij haar vandaan, haar gezichtje vertrokken van angst. Ze stond tot haar knieën in de modder.

,,Stef, ik kan er niet uit. Als ik me beweeg, zak ik steeds dieper. Het lijkt wel of ze aan mijn benen trekken. Ik ben zo bang dat ik val."
Op hetzelfde moment herinnerde Stefanie zich de woorden van haar vader toen ze hier voor de eerste keer logeerde. ,,In het bos zijn enkele gevaarlijke plekken drijfzand. Let goed op de waarschuwingsbordjes."
Nu, een bordje was nergens te zien. Dat stond dan zeker aan de andere kant. Ze keek om zich heen en deed voorzichtig een stap voorwaarts. Er gebeurde niets. Ze wist dat er ook droge plaatsen moesten zijn, maar hoe kon zij die herkennen? De hele vlakte zag er bedriegelijk onschuldig uit. Ze deed nog een stap en zag dan de boom. Als ze de lange tak kon buigen en Nicole kon deze grijpen, zou het misschien lukken. Heel voorzichtig liet ze zich door haar knieën zakken, drukte met een stok om zich heen om de bodem te controleren. Als ze op haar buik ging liggen, zou ze dan bij die laagste tak kunnen? Nee, op haar buik zou niet gaan. Zijwaarts dan. Nicole zou dan haar hand kunnen grijpen. Toen ze op haar knieën zat en zich wat voorover boog waarbij ze een arm uitstrekte, voelde ze een lichte beweging onder haar benen. Haastig schoof ze enkele centimeters achteruit. Nicole stond roerloos, de tranen liepen over haar gezicht. De modder was nu halverwege haar dijbeen gestegen. Het ging langzaam, maar toch was er geen tijd om hulp te halen, zeker niet in het tempo waarin zij zich tegenwoordig voortbewoog. Ineens rukte ze de tas van haar schouders. De riem was dubbel en vrij lang. Als Nicole deze kon pakken, kon zijzelf op veiliger grond blijven en meer kracht zetten.
,,Nicole, luister goed. Dit materiaal is leer en vrij nieuw. Ik denk wel dat dit het houdt. Ik gooi de riem naar je toe. Probeer deze te vangen, maar zonder je evenwicht te verliezen want als je voorover valt..."
Nicoles ogen werden groot van angst toen ze dacht aan de mogelijkheid met haar gezicht in de zuigende modder te vallen. Ze durfde zich nauwelijks te bewegen en greep enkele malen mis. Stefanie wilde haar niet banger maken dan ze al was door haar aan te sporen. Een feit was echter, hoe dieper ze vastzat, hoe zwaarder het zou worden haar eruit te halen. De vierde keer ving Nicole de riem. Zou deze sterk genoeg zijn om haar eruit te trekken? Stel dat deze brak en Nicole zou achterover vallen...

Stefanie durfde niet verder te denken.
Ze hield met beide handen de riem vast en trok, waarop Nicole gilde dat ze zo zeker zou vallen.
Na enkele pogingen begreep Stefanie dat dit zeker de oplossing niet was. Ze moest dan toch zelf maar gaan liggen. Ze zorgde ervoor dat haar lichaam op vaste grond bleef, haar arm was boven het onbetrouwbare gedeelte. Ze kon Nicoles hand grijpen maar wist direct dat ze niet voldoende kracht zou hebben. Ze stond op het punt in tranen uit te barsten, toen ze ineens een stem achter zich hoorde.
,,Merde! Wat is hier aan de hand. Mon Dieu! Il est très dangereux!"
Het was Jerôme die haar in een stortvloed van woorden duidelijk maakte hoe gevaarlijk dit spelletje was. Na enig heen en weer gepraat, bond hij de riem stevig om zijn middel, reikte het uiteinde aan Stefanie en stapte in het moeras. Hij naderde Nicole tot op een halve meter. Stefanie hoorde de zuigende geluiden die de modder maakte, maar zag hoe hij iedere keer met een ruk zijn voeten lostrok. Hij bleef dit doen toen hij een moment stil stond en Nicole om haar middel greep. Er was veel kracht voor nodig. Stefanie voelde het aan de riem die ze stevig vasthield.
Maar uiteindelijk, met een enorm zuigend geluid, gaf het drijfzand zijn prooi terug. Door de schok viel Jerôme achterover met Nicole boven op zich, maar gelukkig was de grond daar alweer redelijk stevig.
Uit Jerômes onafgebroken gepraat begreep Stefanie dat het slechts een kleine poel was, waar Nicole in terecht was gekomen. Klein maar toch gevaarlijk. Hij zou de gemeente inlichten, zodat ze de boel hier zouden omheinen, dit vooral in verband met kleine kinderen, die men nu eenmaal niet altijd bij de hand kon houden.
Stefanie vroeg zich af of Nicole later nog op deze opmerking terug zou komen. Nu krabbelde ze overeind en barstte prompt in een hysterisch gesnik uit. Zo smerig als ze was, trok Stefanie haar tegen zich aan.
,,Nicky, stil maar, het is nu voorbij."
,,Je hebt mijn leven gered," piepte Nicole.
,,Nou, ik denk dat Jerôme die eer toekomt."
Ze vroeg hem daarop hoe hij hen had gevonden, waarop hij

vertelde dat hij naar het huis was gekomen om Nicoles portret te schilderen. Haar vader had gezegd dat ze een wandeling maakten en aangezien hij op de hoogte was welk pad ze altijd nam, was hij hen gevolgd. In de stille omgeving had hij hun angstige stemmen gehoord. Hij keek naar Nicole bij wie de schrik nog steeds in haar ogen te lezen was. Ze zag spierwit.
,,Vandaag is het geen goede dag voor een portret," lachte hij. ,,We zullen naar huis gaan en een glas wijn drinken."
Gezamenlijk liepen ze de terugweg. Nicole hield Stefanie nog steeds bij haar hand. ,,Ik dacht dat je niet zou komen toen ik je riep. Je was boos."
,,Zo boos was ik nu ook weer niet."
,,Je wilde me echt redden, hè?"
,,Natuurlijk wilde ik dat. Ik wist alleen niet hoe. Ik ben nog steeds enorm blij dat Jerôme kwam, al was het om hém dat we ruzie kregen."
Nicole keek enigszins beschaamd naar de grond.
,,Heb je een ogenblik gedacht dat ik je aan je lot zou overlaten?"
Nicole zei nog steeds niets.
,,Heb je dan zo weinig vertrouwen in mij?" Stefanie was duidelijk geschokt.
,,Maar je kunt immers niet van me houden?" Het was een vraag vol verwondering, maar Stefanie meende er ook iets van hoop in te horen.
,,Nicole, ik houd van je vader en jij bent zijn dochter. Ik probeer van je te houden, maar soms is dat best moeilijk, dat mag je gerust weten. Ik denk dat zoiets tijd nodig heeft en bij ons kost het meer tijd dan bijvoorbeeld tussen mij en Jasper. Ook van jouw kant is dat zo. We zijn trouwens op geen enkele manier verplicht van elkaar te houden. Het zou de zaak wel gemakkelijker maken als we elkaar mochten, want we zullen in de toekomst veel met elkaar moeten optrekken. We horen nu bij elkaar. Zo, we zijn thuis. Het is het beste dat je eerst onder de douche gaat."
Het leek Stefanie beter de nuchtere werkelijkheid weer onder ogen te zien. Ze ging er niet vanuit dat Nicole zat te wachten op overdreven uitingen van genegenheid van haar kant. Zij zou dat absoluut wantrouwen, en terecht. Het was maar het beste eerlijk te zijn. Ze was nog beverig van de doorstane angst.

Jerôme vertelde in welsprekende, maar wel dramatische woorden en gebaren wat er gebeurd was, waarop zelfs haar vader hevig van streek raakte.
,,Jou had ook iets kunnen overkomen. Zoveel inspanning terwijl je in verwachting bent. Je hebt wel bijzonder veel risico genomen. Ik zal die onverantwoordelijke blaag eens even zeggen wat ik van haar denk."
,,Nee vader, dat verbied ik je. Ze is zelf vreselijk geschrokken."
Haar vader snoof en ongerust volgde Stefanie de gang van zaken toen Nicole in schone kleren, maar nog steeds witjes, weer beneden kwam.
,,Hoe kon je zo ontzettend stom zijn," kon haar vader toch niet nalaten te zeggen.
,,In Nederland bestaat zoiets niet," verdedigde Nicole zich.
,,Niet als je op de paden blijft en zo is het hier ook. Lieve help, Stefanie, waar ben je aan begonnen?"
Deze wierp haar vader een geërgerde blik toe en zei dan: ,,We zullen het wel redden. Ik heb overigens besloten morgen te vertrekken."
,,Morgen al? Kan Gina mij wel alleen verzorgen?"
Natuurlijk was haar vaders eerste zorg zijn eigen hachje, dacht ze verontwaardigd. Maar ook Jerôme protesteerde vanwege de tekening die hij van Nicole zou maken. Dus besloot ze nog een dag langer te wachten, maar dat was dan ook de uiterste grens. Ze had zich ineens gerealiseerd dat de baby over vier weken geboren zou worden. Maar wie zei haar dat het kind niet wat eerder zou komen. En ze wilde dat Thomas erbij was als het zover was.
Nicole was die dagen wat stilletjes, zodat Jerôme uiteindelijk een tekening liet zien van een dromerig, ernstig meisje. Stefanie vond het niet lijken op het meisje zoals zij en Thomas haar kenden, maar Nicole scheen er tevreden mee. Tot Stefanies verbazing praatte het meisje die laatste dag met haar vader. Ze reed zelfs met hem door de tuin.
Op de dag van haar vertrek zei Carl: ,,Misschien zou het toch wel aardig zijn als jij de moeder was van deze jongedame. Dan werd zij mijn kleindochter."
,,Zo'n jonge opa hoort helemaal niet," riep Nicole, waarop haar vader voor de rest van de dag zat te glimmen en onuitstaan-

baar was, zoals Gina toegeeflijk opmerkte. Het afscheid was hartelijk. Ze beloofde de volgende zomer met het hele gezin te komen als Thomas het ermee eens was. ,,Als alles goed gaat met een kind dat tegen jou oma gaat zeggen,'' zei Stefanie tot Gina.

Deze raakte zeer ontroerd door deze opmerking. ,,Ik ben zo blij dat je mij uiteindelijk hebt geaccepteerd.''

,,Ik heb jou de laatste jaren pas goed leren kennen. Trouwens, mijn vader ook, waardoor alles mij wat duidelijker is geworden. Ik begrijp nu alles beter.''

Eenmaal in de trein, dacht ze weer aan Gina. Was ze al niet begonnen haar te accepteren nadat ze zélf had ontdekt dat Richard was getrouwd? Ze had toen immers zelf ook ondervonden hoe moeilijk het was níet van iemand te houden die al zijn charmes in de strijd gooide. Wat had ze in die tijd graag geloofd dat het huwelijk van Richard niets voorstelde en dat dit de schuld was van zijn vrouw. Liefde tussen mensen was volkomen onvoorspelbaar.

Ze kon Gina niet meer veroordelen omdat ze een verhouding had met een man wiens vrouw ziek was. De fout lag voor het grootste gedeelte bij haar vader die altijd alleen aan zichzelf had gedacht. Waarschijnlijk had hij Gina in die tijd maar wat op de mouw gespeld over zijn huwelijk. En op het laatst had hij dan ook nog de vergeving van zijn vrouw gekregen.

Haar was door dit alles in elk geval duidelijk geworden dat zij nooit zou kunnen leven met een persoon zoals haar vader. Ze wilde een partner die onvoorwaardelijk trouw was. En ze wist zeker dat ze in Thomas zo'n man had gevonden.

Ze hadden niets laten weten dus op het station was die avond niemand om hen af te halen. Samen zeulden ze Stefanies koffer tot voor het station en riepen daar een taxi aan. Bijna had ze het oude adres aan de gracht opgegeven. Het was Nicole die haar corrigeerde.

,,Toch wil ik er nog wel een keer naartoe. Het is net of ik daar afscheid van mamma moet nemen,'' zei het meisje.

Stefanie knikte.

,,Zullen we dan nu langsgaan? Ik heb nog een sleutel. Het zal niet lang duren voor er andere mensen wonen en dan kan het niet meer.''

Zo gebeurde. De taxi stopte voor het smalle huis. Nicole bleef aarzelend staan. Er hingen lamellen voor de ramen, een schemerlamp verlichtte de nog bijna lege kamer, waar een man bezig was de parketvloer weg te breken.
Binnen enkele minuten was Nicole terug in de auto. ,,Hij haalt zelfs de vloer weg."
,,Er zijn mensen die alles veranderen als ze in een ander huis komen. Er zal stellig ook een nieuwe keuken in aangebracht worden."
Nicole zei niets meer tot ze uitstapten bij het huis waar ze verwachtten Thomas en Jasper te vinden. ,,Het was mamma's huis nu al niet meer," zei ze dan zacht.
,,Je hebt dat huis niet nodig om je te herinneren hoe je moeder was."
Nicole keek haar twijfelend aan, maar zweeg verder.
Het was Thomas die opendeed. Thomas in een oude spijkerbroek met sweater, zijn haar in de war, maar wiens gezicht een totale verandering onderging toen hij hen zag. ,,Stefanie, ben jij het!"
,,Ik heb in de afgelopen weken geen kans gezien iemand anders te worden," zei ze glimlachend.
Hij spreidde zijn armen uit en ze leunde tegen hem aan. ,,Je had me toch moeten vertellen dat je kwam. Dan had ik gezorgd voor een passend welkom."
,,Wat bijvoorbeeld? Een ereboog?" vroeg ze een beetje spottend.
,,Hier is je dochter. Ik geloof dat zij de afgelopen week weer een beetje meer volwassen is geworden."
Thomas omhelsde ook Nicole en toen verscheen Jasper bovenaan de trap.
Bij het zien van het blonde jongetje in pyjama, schoten Stefanie onverhoeds de tranen in de ogen. ,,Jassie!"
Hij stommelde haastig de trap af. ,,Tjeetje, wat ben jij dik geworden," waren zijn eerste woorden.
,,Dat is van het kindje, sufferd," bitste Nicole.
Als Stefanie wéér weggaat en jij gaat haar halen, wil ik ook mee," bedong Jasper, zich zoals gewoonlijk niets van het kattige antwoord van zijn zuster aantrekkend.
,,Stefanie gaat voorlopig niet weg. En als ze wél gaat, gaan we allemaal mee," zei Thomas. Zijn arm lag nog steeds om haar

heen. ,,Pas nu wordt het hier een echt thuis." Ik hoop het, o wat hoop ik dat van ganser harte, dacht Stefanie.

De dochter van Stefanie en Thomas werd enkele dagen voor moederdag geboren.
Ze noemden haar Charlotte, naar Stefanies moeder. Toen Stefanie zelf naar Frankrijk belde, was haar vader ontroerd door dit 'eerbetoon' aan een goede vrouw, zoals hij het uitdrukte. Gina was enorm trots dat ze nu oma was. Jerôme had al aangeboden een portret van de baby te maken zo gauw ze naar Frankrijk zouden komen.
Met moederdag kreeg Stefanie een gemengd boeket van Nicole en Jasper.
,,Als Charlotte wat groter is, wil ik je een jong poesje geven. Ik dacht dat het nu nog te druk voor je zou zijn," zei Nicole.
,,Je had het moeten doen, dat was leuk geweest. Stefanie heeft het niet druk," kwam Jasper direct.
Stefanie en Nicole keken elkaar met een blik van verstandhouding aan. Die blik verheugde Stefanie meer dan iets anders. Ze schikte de bloemen zorgvuldig in een grote vaas. Ze dacht bij zichzelf dat ze dáár in elk geval meer vaardigheid in had gekregen.
Zelf had ze een boeket seringen in de tuin geplukt. Met deze vaas bloemen liep ze naar de hal. Daar in een hoekje, boven een eenvoudig tafeltje, hing Hetty's portret. ,,Voor jou, van je man en kinderen." Ze keerde zich om en zag Nicole staan. ,,Ik hoop dat je dit een goed idee vindt."
Het meisje knikte ernstig. ,,Zullen we jouw portret nu in de kamer hangen?"
,,Geen sprake van. Ik hoef mijzelf niet steeds te zien en jullie zien mij in het echt. Naar ik hoop tot in lengte van dagen."
Ze gaf een kneepje in Nicoles schouder. Het meisje keek naar haar op.
,,Ik ben blij dat jij echt bent."
Ze keek niet meer naar haar moeders portret toen ze samen de kamer inliepen, waar Thomas samen met Jasper bezig was een enorme taart aan te snijden.
,,Jullie hebben nu een baby, mogen wij dan een hond?" vroeg Jasper.
Ze schoten in de lach. ,,Voorlopig hebben we wel genoeg aan

jullie en Lotje. Maar als ze wat groter is, wie weet." ,,Stefanie blijft nu echt hier, bij ons. Dit is haar huis." Jaspers ogen straalden.
,,Het huis is van ons allemaal. Maar ik vrees dat jullie inderdaad aan me vastzitten," glimlachte Stefanie.
Thomas trok haar tegen zich aan. ,,We zijn weer een gezin. Er is weer toekomst voor ons allen."
,,Ik had dat nooit gedacht, maar ik geloof dat u gelijk hebt, pappa," zei Nicole ernstig.